脱原子力 明るい未来のエネルギー

ドイツ脱原発倫理委員会メンバー
ミランダ・シュラーズさんと考える
「日本の進むべき道筋」

折原利男 編著
ゲスト▼ミランダ・シュラーズ

新評論

日本の読者の皆さんへ

ミランダ・シュラーズ

日本は私にとって特別な国です。私は数年間日本に住んでいたことがあり、何年にもわたって日本語と日本の文化を学んできましたので、私は日本の方々と特別なつながりを感じています。私はまたそのような日本と特別な関係を持ち続けられたことをとても嬉しく思っています。

東京電力福島第一原子力発電所の事故以来、私は何度も日本を訪れる機会があり、福島県へは6回訪問し、立入禁止区域には4回入っています。私はそれらを通じて多くの人々と語り合い、交流することができました。

福島第一原発の爆発と炉心のメルトダウンは日本をどのように変えたのでしょうか。皆さんからお聞きした話は私をとても悲しくさせました。しかしそれだけでなく、私を励ますものでもありました。それは、原発事故が日本のエネルギー政策に重大な変化をもたらし、それが市民社会のさまざまなグループを活性化し、それによって民主主義が以前より強化されたからです。民主主義は人々が意思決定に参加し、民主主義を自分たちの手に取り戻そうとすることによって確かなものになっていきます。そうした動きを伴う日本の皆さんの再生可能エネルギー〔＝自然エネルギー〕への強い関心と、核エネルギーから離れたいという強い願いと運動が、政府に原子力から脱却し、再生可能エネルギーの利用拡大に向けて長期エネルギー政策を変更させるような強い圧力になったことは、――原子力エネルギーを完全に放棄する決定がまだされていないとしても――本当に驚くべきことです。そのようなことが私に希望を与えてくれたのです。

過去のエネルギー選択は、主に自分たちの利益と幸福を促進したいという強い願望によって動機づけられ、安価なエネルギーとエネルギーの安全保障が優先されたために、倫理の問題として考えられてはいませんでした。つまり、エネルギーが地球環境や他の種、そして将来世代の健康にどのような影響を与えるのか、これについては極めて不十分にしか考えられていませんでした。しかし日本ではここ数年の間に、エネルギー問題とは本当は何なのか、どのエネルギーを使用し発展させるべきか、そういったことを根本的に社会的、倫理的な問題として考える方向へと急速に関心が移り始めています。

ドイツの政治状況はＡｆＤ（ドイツのための選択肢）〔極右政党〕の伸張だけが注目され、メディアでは取り上げられていますが、実は緑の党〔環境政党〕の支持率も非常に伸びてきています。＊ 近年、政党の支持率に一定の変化はありますが、エネルギー転換に向かうドイツの政治・政策状況は今まで通り前進していて、変化はありません。

＊２０１９年６月２日のフランス通信社「ＡＦＰＢＢ Ｎｅｗｓ」は、ドイツで行なわれた最新の世論調査の結果として、「環境政党『緑の党』（正称：同盟90／緑の党）の支持率は27％で、二大政党〔キリスト教民主・社会同盟（ＣＤＵ・ＣＳＵ）と社会民主党（ＳＰＤ）〕を抜いて初めて首位になった。保守の連立政党であるＣＤＵ・ＣＳＵは26％、国政でＣＤＵ・ＣＳＵと連立を組む社会民主党（ＳＰＤ）は12％、また極右政党『ドイツのための選択肢』（ＡｆＤ）は11％だった」と報じている。なお、キリスト教民主同盟（ＣＤＵ）は中央政党、キリスト教社会同盟（ＣＳＵ）はバイエルン州のみに存在する姉妹政党でＣＤＵよりも保守的である。両党はドイツ連邦議会（本書48頁参照）で戦後一貫して統一会派「ＣＤＵ・ＣＳＵ」を組んできた。

福島を訪問して最も強い印象を受けたのは、福島は本当に美しい県ですが、三重の災害でひどく傷つけられているということです。特に悲しく思うのは、地震と津波の二重の災禍を何とか生き延びられた多くの人々が、原発のメルトダウンによる放射性降下物の影響によって今も辛（つら）い生活を強いられていることです。

原発事故とその影響が一体どのようなものなのか、その途方もない大きさをすべての日本の方々が自分自身の目で確認できるようにすること、立ち入り禁止区域内の放棄された町や村を含めて、実際に福島の地を訪れてみることが大事だと思います。それは忘れられざる強い記憶を一人ひとりの心に残すでしょう。それは決して忘れてはいけないことなのです。

立ち入り禁止区域を訪れて、人っ子ひとりいない通りを車で走っていると、草木の生い茂った校庭、止まったままの時計、誰も来る人のいない病院の草ぼうぼうの駐車場などが目に入ってきます。この光景は永遠に忘れることができないでしょう。私は事故の前の福島を、そしてかつてそこに住んで生活し、働いていた人々のことを想像しました。学校に歩いて、あるいは自転車で通う子どもたちの姿、祖母と祖父が田んぼに立って働いている姿などを想像しました。原発事故がどれほどひどいものなのか。人々が代々にわたり築き上げてきたいくつものコミュニティを一夜にして完全に破壊し、その広大な地域を居住不可能にしてしまったのです。そして放射線に被ばくした人々には、それが将来どんな病気をもたらすか分からないという不安と恐怖をもたらしてしまっています。

福島で車を走らせますと、かつては美しかったその田園地帯に、今は放射性廃棄物置き場という、人類が初めて目にするようなグロテスクな黒い異物の山があちこちから目に飛び込んできます。放射性廃棄物を入れたその途方もない数の大きな黒い袋、フレコンバッグに驚かされます。

放射性廃棄物の除染と除去、そのためのまったく新しい産業が生まれています。これは福島の皆さんが望んでいる種類の産業でしょうか？　この廃棄物のすべては、将来どうなるのでしょうか？本当に安全に管理されるのでしょうか？　私たちは将来世代に大きな負の遺産を残し、逃れることのできない重い荷物を背負わせたことになります。

この放射性廃棄物を一時保管するために、地面に巨大な穴が掘られていますが、これが何十年かかるか分からないクリーンアップ・プロジェクトの始まりに過ぎないことは明らかです。将来世代には、自分たちが見たことも使ったこともない原発によって生み出されたこの異物が残されます。さらに車を走らせますと、遠くには、メルトダウンした原子炉の冷却によって生じた、増え続ける放射能汚染水を貯めるための１０００基もの巨大タンク［1基約１４００トン、２０１９年7月18日時点で９７０基］が目に入ります。高濃度に汚染された原発の現場で働く人々の健康と人権を守るためにも、原発を廃炉にし、高濃度放射性廃棄物と溶融燃料を何とかして原子炉から除去しなければなりません。

もちろん、そうした現場や汚染地域で働く人々のおかげで、事故処理に一定の進展も見られます。放射線レベルは少しずつ低下しています。また放射能汚染物質の「除染作業」によって、住民の方々の一部は、汚染の影響がそれほど深刻ではない地域に戻り始めています。とはいえ、それが可能になったのは、国が一般の人々の線量限度を極端に引き上げたからにほかなりません。もともとの国の基準は、国際放射線防護委員会（ＩＣＲＰ）の勧告の多くを法律に取り入れ、自然界からの被ばくや医療での被ばくを除いて年間1ミリシーベルトが限度［法定基準］とされていました。それが「原子力緊急事態宣言」［２０１１年3月11日19時18分発動］のもとで、なんとその20倍の、年間20ミリシーベルト以下に大幅に緩められ、住民の帰還を促す手段ともされたのです。戻らなければ、補償がなくなる、そのために泣く泣く戻らざるをえない、そのような人々も少なくないのが現実だと知りました。ドイツ人、いや誰が聞いても耳を疑うような話です。それでも、帰郷する人々はごく一部にとどまり、若い家族や子どもたちは汚染による健康被害から身を守るため、少しか帰って来ていません。

政府が発令した「原子力緊急事態宣言」は、現在も解除されていないことを忘れてはいけません。この政令のもとで、法定基準の大幅緩和という平常時ではとても許されない数値が適用され、それによってものごとが動いているわけです。

その一方で、福島をめぐっては、私に感動を与えてくれたものもたくさんあります。私が被害地で会った多くの人々はその地域で何かをしようと懸命に奮闘していました。地震、津波、そして原発事故に苦しむ人々を救援するたくさんのボランティア。途方もない瓦礫（がれき）の山を片づけるために組織された無数のグループ。放射能汚染の心配から逃れ、遠く離れた自然のなかで伸び伸びと遊ぶことができるよう、子どもたちのための保養プログラムを組織した人々…。

また、さまざまな場所で、危険な放射線量を監視したり、食品中の放射線量を調べたり、あるいは汚染を逃れた生産物を何とか手にしてもらおうと情報発信を続けたりする方々もいました。

心ある学者・研究者の方々は、避難や移住を余儀なくされた人々の心理的影響や健康影響を調べ、分析し、それを最小限にするための努力を重ねていました。それらの研究成果から私もたくさんのことを学びました。

私が行なっている学術研究と政策提言は、原子力関連事故、核廃棄物管理、気候変動、天然資源の枯渇など、非常に深刻な問題を扱っています。私は時とともに、こうした巨大で憂鬱な問題に対処するときでさえ、前向きであり続けること、つまり明日の状況を改善するために、そしてものごとをより良く変革するために、私たちがどのように過去から教訓を得て、今自分たちにできる何かを常に考え続けること、それがいかに大切であるかを学びました。時間を、地震、津波、放射能汚染という三重の被害の以前に戻すことはできません。しかし、私たちは災禍から学び、変化をもたらすために行動することができます。

ドイツでも、市民と学者・研究者は深くつながっています。尊敬される学者たちは皆、市民運動を支え、企業や産業界の科学的、技術的取り組みに常に疑問符を付けながら問題提起をしてきました。

日本でたくさんの市民グループがさまざまな活動に挑戦しているのを目にすると、とても心強く思います。ヨーロッパに比べると、日本は環境保護団体の数が少なく、その影響が乏しい国のように見えます。しかし実際にはそうした市民グループが数多く生まれており、その活動は3・11後の日本社会に大きな変化をもたらしている（その可能性も含めて）と感じています。

私は日本のさまざまな場所で、原子力を段階的に廃止するドイツの意思決定について話してきました。そうした講演や講義のたびに、日本のたくさんの方々がドイツやヨーロッパのエネルギー政策に強い関心を持って聴きに来てくれたことに、私自身が元気づけられています。私はまた、ドイツの脱原子力のプロセスや、再生可能エネルギーを軸とする低炭素社会へ向けた今後数十年のドイツの目標について学ぼうとする、多くの日本の市民グループと交流してきました。この方々は、時代に変化をもたらす「個人」「地域社会」「政府」の役割を肌で知ろうと、ドイツのさまざまな場所を訪れています。

こうした人々との出会いを通じて、私は、私が所属していた「安全なエネルギー供給に関する倫理委員会」〔通称「脱原発倫理委員会」（福島の事故直後、ドイツの原発政策検討のために設置された政府機関。本書37頁参照）〕に対する日本市民の関心がどれほど強いものであるかを知ることができました。

エネルギーは現代生活に必要不可欠なものです。しかし、今やそれ以上のものになっていることを認識する必要があります。今やエネルギーは多くの倫理的側面に関わるものになっているということです。私たちが家庭や職場で直接的・間接的に使っている電気からは毎日大量のエネルギーが消費されています。その消費活動が遠方の人々や将来世代に、そして地球環境に多大な負荷を与え続けています。この問題を、今ではますます多くの日本人が倫理の問題として真剣に考え始めていることを私は知っています。

福島の原発事故以来、日本でも再生可能エネルギーへの取り組みが盛んに行なわれています。非常に多くの人々が家の屋上に太陽光［ソーラー］発電を設置しています。私はこれを心強く感じています。10代のころ、茨城県立水戸第一高校の交換留学生として私を迎えてくれた家族も、屋根の上にソーラーパネルを取り付けています。また多くの人々がＬＥＤライトを設置したり、電化製品の待機電力を遮断したり、クールビズを行なったりして、家庭単位でエネルギーの使用量を減らそうとしています。

私は日本の方々に、日本が達成した誇るべき成果をしっかりと認識してほしいと思っています。誇るべき成果とは、一時期日本は、原子力への依存度をドイツよりもはるかに早くゼロにしたという事実です。原発の段階的廃止は、ドイツでは緩やかなステップバイステップで、２０２２年までに完全閉鎖されることになっています。これに対し日本では、福島の事故後、２０１３年9月16日から２０１５年8月10日までの2年近くにわたりすべての原発が停止され、まったく稼働していませんでした。しかもその間、電力不足は起こらず停電もありませんでした。日本はその気になれば、原発をゼロにし、化石資源由来のエネルギー使用を克服しつつ、速やかにエネルギー転換を図れることを世界に示したのです。すべての原発を稼働停止にしたこと、これはなんと驚くべき変化であり事実であったことでしょう。ドイツより早く脱原発を成し遂げた、そう言ってもよいほどではありませんか。このことを日本政府や電力業界、産業界、そしてすべての市民の方々に自覚してほしいのです。この脱原発の事実は何度強調しても強調し過ぎることはありません。

とはいえ、日本が安全・安心な低炭素エネルギーシステムに転換していくためには、克服すべき多くの障害があることも私は知っています。いわゆる「原子力村」は依然として強い力を持っています。かつて原子力に多額の投資をしてきた日本企業は数多く、銀行はそれらの企業に多額の資金を貸し付けてきました。しかし世界的に見ても、原子力産業は完全に行き詰まっています。再生可能エネルギーは非常に安いコストで作れるようになっているので、新しい原発施設の建設はもちろんのこと、既存の原発を再稼働したとしても経済合理性がなくなってきているのです。老朽化により廃炉にする場合でさえ、捨て場がなく莫大な処理費用がかかる高レベル放射性廃棄物の処理問題は産業界や政府にとって避けて通れない大きな課題になっているのですから。

今や目先の利益を求めるだけでは、産業にも経済にも政治にも未来はありません。10年先、30年先、50年先まで想像力の限りを尽くして考え、構想していくべきです。ドイツはそのようにしています。

気候変動問題に対処するには原子力の使用もやむなしではないのか、私はよく日本でそう尋ねられます。これについて言えば、ドイツでは私自身も含めてほとんどの人が、原子力が気候変動を解決する答えであるとは捉えていません。どうして？　原子力を追求している政府や産業の場合、エネルギー政策に関わる研究開発資源や予算が低炭素社会のために使われることは、つまり再生可能エネルギーやエネルギー効率（あるいは省エネ）のために振り向けられることはほとんどないからです。このことは歴史が示しています。ドイツでは、今や原子力エネルギーから再生可能エネルギーへの移行だけでなく、石炭などの化石燃料由来のエネルギーから再生可能エネルギーへの移行が、気候変動に立ち向かう新しい技術やエネルギーシステムのための研究開発を大いに促進しているのです。

現在、ドイツの若者は、エネルギー効率の改善に向けたデジタル化、機械学習、あるいは人工知能（AI）＊の活用において、いかに自分たちの技能・能力を高めていくかを学んでいます。自動車や冷蔵庫を再生可能エネルギー用の蓄電池システムに切り換える研究をしている若者もいれば、環境に優しくエネルギー消費の少ない都市設計を研究している若者もいます。

＊人間のさまざまな知的活動のなかで、人間が自然に行なっているパターン認識や経験則を導き出したりするような活動を、コンピュータを使って実現するための技術、理論、ソフトウェアなどの総称。

ドイツの電気料金には再生可能エネルギーを促進するための負担金が含まれています。つまり電気代が高いのです。そのため、ドイツの人々は自宅で省エネをするために、エネルギーロスを最小化する断熱加工の新しい窓に投資したり、部屋に誰もいないときに自動消灯するセンサーライトを

ミランダ・シュラーズさん。仙台での編者との打ち合わせ（2019年5月28日）

使用したりと、工夫するようになりました〔「国民の80%から90%は原子力に反対で、脱原発のためにコストがかかっても仕方ないと思っている」本書95頁参照〕。ドイツのレストランは日本に比べて照明の数が少なく、日本の都市のような目が眩むほどのネオンはほとんどありません。

きっと、将来世代は歴史のなかにある私たちの時代を振り返り、私たちのエネルギー使用がいかに地球環境や明日の世界に害を与えるものであるのか、なぜもっと真剣に考えなかったのかと強い疑問に駆られるでしょう。私たちは子どもたちの教育を心配するために多くの時間を費やしています。しかし、子どもたちにどのような世界を残そうとしているのかについて、十分な時間を費やし考えていると言えるでしょうか？　日本やドイツのような一定の国力を持つ国々は、多くの分野で協力し、より安全でクリーンなエネルギーシステムへの国際的な移行を先導する義務があります。私はそうした移行は可能だと確信しています。この国際的な移行の実現には、アイディアの国際的な交換が必ず役に立ちます。私は国際コミュニケーションの重要性を信じ続けています。

最後になりますが、2015年11月にベルリン自由大学に所属していた私を訪ねられ、面識を得てから2年3カ月後、今度は私を日本に招き〔2018年2月〕、福島、郡山、東京での講演、トークセッション、交流に同行くださり、さらには熱意と努力をもってそのときの内容を貴重な記録として残してくれた本書の編著者、折原利男さんに心から感謝します。折原さんは私のその後の訪日のたびにも、私の慌ただしさをものともせずに、本書企画の打ち合わせ、原稿細部の確認、その完成化のために名古屋〔2019年1月〕、仙台〔同年5月〕、そして帰国時の乗り換え地である羽田空港〔同年6月〕にまで駆けつけてくれました。ドイツ－日本間のメールや電話でも数多くのやりとりをさせていただきました。

5年後、10年後、30年後の日本のエネルギー政策を確かなものにしていくために、この本がさまざまな分野の多くの人々に少しでも役立てられることを心から願っています。

〔原文：英語／訳：折原〕

2019年10月3日

本書刊行に寄せて

満田 夏花（かんな）
（ＦｏＥ Ｊａｐａｎ事務局長）

東京電力福島第一原子力発電所事故からまもなく9年が経とうとしている。そうしたなか、折原さんが、ミランダ・シュラーズさんの講演や福島の方々のお話などをまとめた原稿を送ってくださった。

なぜ、多くの人が原発をやめたいと願っているのか。

なぜ、政府や電力会社は、何の未来もない原発にしがみつくのか。

福島原発事故の教訓とは何であるのか。

ミランダ・シュラーズさんの言葉が、なぜ私たちの心に響き、希望と勇気を与えてくれるのか。

「倫理」とは何か？

そのようなことを考えながら読ませていただいた。

原発をどうするのか。それは、単なるエネルギーの問題だけではなく、民主主義の問題であり、私たちの暮らしや生業、環境の問題であり、私たちや未来の世代に何を残すかという選択の問題でもあることを、この本は、決して押しつけがましくはなく、平易だが確固とした言葉で指し示してくれている。

各社の世論調査を見れば、5～6割の人たちが原発に反対している（「どちらかといえば」という人たちも含む）。私自身も脱原発社会を実現したいと強く願うひとりである。

そして、今現在、日本の電源に占める原発の割合は数％に過ぎない。日本は事実上、脱原発を達成している、と言えなくはない。

他方、再生可能エネルギーは着実に伸びており、電源構成の17％を占めるまでとなった。九州や四国では、太陽光発電への投資が進み、太陽光が増えた。原発も再稼働した結果、昨年の5月には電力が過剰になり、太陽光事業者に対する接続抑制が行なわれたことも記憶に新しい。北海道での地震後の広域停電や、千葉の台風被害後の停電は、大規模集中型の電源の脆弱性、小規模分散型の電源の強みを示している。

さらに原発のコストが高いこと、経済合理性がまったくないことも明らかになった。東芝は無謀な原発事業ゆえに破綻寸前にまで追い込まれ、官民を挙げての原発輸出は、軒並み失敗した。

東電福島第一原発事故を経て、私たちの意識も、原発やエネルギーを取り巻く状況も、大きく変わった。

しかし、残念ながら政府や電力会社は、変わろうとせず、原発にしがみついている。

さらに深刻なのが、原発事故をめぐる状況だ。復興やオリンピックの華やかな宣伝で、ともすると覆い隠されそうになるが、いまだに多くの避難者が、生活困窮や社会的な孤立に直面している。避難指示区域外の避難者たちに対する住宅支援が打ち切られ、低所得者向けの家賃補助も打ち切られた。引っ越し先が見つからず、国家公務員住宅に残ってしまった避難者たちは、期限を過ぎても居残ったという理由で、二倍の家賃を請求され、訴えられようとしている。除染土や汚染水は、集中管理されるどころか、むしろ拡散されようとしており、汚染された牧草は土にすき込まれている。「放射性物質を取り除いてほしい」――農地を汚染された農家の当然の訴えは、「放射性物質は土と同化している」という納得しがたい理由から、法廷で棄却された。

いまに至るまで、原発事故に関して法的な責任を取った者はいない。

国は東電の破綻を避けるために、東電に、全国の電力消費者からの電気料金や国債、政府保証による銀行借入などによる資金（利子は国庫負担）が注入される複雑な法的仕組みを作り上げた〔原子力損害賠償支援機構法〕。私たちのお金で支えられている東電は、経済的経営的責任すら取っていないと言える。ちなみにこの法制定が2011年であるので、政府の迅速さは驚嘆するものがある。

政府や電力会社は、原発にしがみつき、放射性物質のリスクや被害を過小評価しようとしているように見える。そしてそれを守るかのような司法の姿勢。被害者の声が押しつぶされるたびに、私たちは無力なのではないか、市民社会の抗いは無駄なのではないか、何をしても何も変わらないのではないかという疲労感におそわれる。

しかし、この本は希望を与えてくれる。

事故のリスクや被ばく労働を伴い、核のごみを未来世代に残す原発を、「倫理」という視点から問い直し、当たり前の市民の視点から脱原発を選択したドイツの良識〔本書第1・4章〕、エネルギーの転換に取り組む飯舘（いいたて）電力の近藤さん、二本松で有機農業に取り組む大内さんをはじめ、自然エネルギーで生き生きとした地域を創る実践的な挑戦、エネルギーのみならず、農業や暮らしの観点からの地域づくり、福島の復興に取り組むたくさんの人たちの知恵〔本書第2章〕、オーストラリアの保養プログラムに参加した高校生との対話〔本書第3章〕……。原発事故やエネルギーの問題に真剣に向き合うさまざまな人たちの前向きさに勇気づけられる。

本当の意味でのエネルギー転換は、単に原発を他の電源に置き換えるだけではない。私たちの暮らしをより楽しく、人間らしく、地域に根差したものにするプロセスでもあるのではないか。

ちょうどこの週末、鳥取の市民団体に招かれ、「見えない化」する福島原発事故の被害についてお話させていただく機会があった。

参加者のなかには、有機農業、市民参加の再生可能エネルギー事業に取り組んでおられる人、移住した人、Uターンした人も多かった。主催者は、原発やエネルギーの問題を問い続けながら、同時に、鳥取の魅力的な自然や農業など、地域の資源を活かした循環型の地域づくりを真剣に考え、実践的に取り組んでいる人たちだった。本書の内容と彼ら彼女らの活動が重なった。

エネルギーの未来を決め、創っていくのは私たち一人ひとりなのだ。

本書はそうした当たり前だが、ともすると忘れてしまう、そんなことを、さまざまな表現で、さまざまな経験や事例を通して、気づかせてくれる。

未来を選択するために、発言し、参加し、行動することを諦めてはならない、と。

２０１９年12月1日

脱原子力　明るい未来のエネルギー／目次

第3章　ミランダさんと福島の高校生が語るエネルギーの未来（福島市）　113

脱原子力　明るい未来のエネルギー

ドイツ脱原発倫理委員会メンバー

ミランダ・シュラーズさんと考える「日本の進むべき道筋」

本書は２０１８年2月に福島市、郡山市、東京で行なわれた「ミランダさん講演会実行委員会」（代表：池住義憲）による各種イベント（講演会、トークセッション、福島の高校生や市民、農家の方々、そして専門家、国会議員との交流やディスカッション）を記録、編集したものです。ミランダ・シュラーズさん（現ミュンヘン工科大学教授）はドイツを脱原発に導いた「脱原発倫理委員会」（通称）の委員を務めるなど、ドイツの脱原発を経験的に語れる研究者、教育者、市民活動家として、世界的に精力的な活動を行なっています。本書には、「日本の進むべき道筋」を確かなものとするうえで勇気と希望を与えてくれるようなミランダさんの言葉が数多く収録されています。

はじめに

２０１５年11月14日、私たちはベルリン自由大学で、ドイツを脱原発に導いた「安全なエネルギー供給に関する倫理委員会」（通称「脱原発倫理委員会」）の17人の委員のひとりミランダ・シュラーズさん（現ミュンヘン工科大学教授）に会い、話を聞き、懇談する機会を持つことができました。これは、長年、平和づくり、人権擁護活動に携わってきた名古屋の池住義憲さん（元立教大学大学院特任教授）が企画したドイツ・ポーランド訪問旅行「脱原発・平和・歴史認識――日本再検証の旅」で切望していたものでした。

懇談予定日の前日13日、パリでは死者１３０名、負傷者３００名以上を出すという凄惨な同時多発テロ事件が起こり、ミランダさんはそのパリに滞在していました。翌朝、ミランダさんの無事を知り、その意味では安堵しましたが、多くの犠牲者を出したこの事件の深刻さを前に、懇談中止もやむなしと思っていました。しかしパリ‐ベルリン間の飛行機が飛ばないなか、ミランダさんはベルギー経由でベルリンに着き、約束の時間から1時間ほどの遅れで大学に駆けつけてくれたのです。

本文で詳しく紹介しますが、日本に対してとてもなじみ深いミランダさんは、日本語をほぼ自由に操ることができます。この日、ミランダさんは私たちのために、明瞭な日本語で自ら用意したパワーポイント（これも日本語版）の写真やグラフを使いながら話してくれました。内容はドイツを脱原発へと導いた道筋の概略と、その現在、および今後の展望です。日本はこのドイツの歩みに学ばなければならない、学ぶことができる――私たちはそう確信し、ミランダさんから希望と力をいただいて大学を後にしました。

それから2年3カ月後、今度は私たちがミランダさんを日本にお招きし、本書にまとめたような集いを開催することになりました。わが国は現在、東京電力福島第一原子力発電所事故（2011年3月11日）から9年経ちながらも、汚染処理の見通しどころか事故原因の真相さえ明らかにされず、それどころか、あたかも原発事故などなかったかのように原発再稼働を次々と押し進めています。今回ミランダさんを日本に招いたのは、「エネルギー転換」という国と社会の将来を左右する大問題について、ドイツの経験に裏づけられたミランダさんのポジティブな問題提起と提言を多方面の方々と共有し、私たちの社会の今後のあり方につなげたいと考えたからです。

今回の企画も池住さんが中心となり、主催は、愛知県日進市では「次世代の子どもたちの〝いのち・くらし・エネルギー〟を考える会」、名古屋市では「日本聖公会中部教区」、東京では「ミランダさん講演会実行委員会」、福島市では「アースウォーカーズ」と「日本イラク医療支援ネットワーク」（ＪＩＭ－ＮＥＴ）、郡山市では「アーユス仏教国際協力ネットワーク」と「ＡＰＬＡ」（農を軸にした地域自立を目指すＮＰＯ法人）と「ＪＩＭ－ＮＥＴ」がそれぞれ担当し、その他多数の共催団体の協力を得て実現したものです。

ミランダさんの日本滞在は２０１８年２月22日から28日までの１週間、日進市、名古屋市、福島市、郡山市、東京の順で計６回の講演を行ないました（東京講演は本書第１章収録）。この間、福島市ではドイツ、オーストラリアと交流のある高校生たちと語り合い（第３章収録）、福島県大熊町では現地の方々の案内によって、「帰宅困難区域」「中間貯蔵施設用地」などの被害地を巡回視察し、郡山市では放射能に汚染された故郷の再生に向けて、再生可能エネルギー（＝自然エネルギー）や有機農業の分野で奮闘している方々と交流しました（第２章収録）。また東京では、立憲民主党など野党４党が同年３月10日に予定していた原発ゼロ法案の衆議院への提出（実際は３月９日提出）直前という時期とも重なり、立憲民主党エネルギー調査会（第11回）での講演と質疑応答の場を設定することができました（第４章収録）。企画最終日の東京講演後は、ドキュメンタリー映画監督の鎌仲ひとみさんと、国際環境ＮＧＯ「ＦｏＥ Ｊａｐａｎ」事務局長の満田夏花さんを交えてのトークセッションを組み、私たちの進むべき今後の方向性を皆で考える場となりました（終章収録）。

本書は、これら一連の集いの成果を多くの方々に伝え、エネルギー問題の核心を共有し、希望に向けて歩みを進めるために編集したドキュメンタリーです。編集にあたっては、最新の情報も踏まえ、内容の理解を助けるための注釈や補足文を適宜、［　］や＊印で加えました。

折原　利男（編著者）

序章
ミランダ・シュラーズさんとドイツ脱原発倫理委員会

ミランダ・シュラーズさんについて

ミランダ・シュラーズさんは１９６３年アメリカ・ニューヨーク州の生まれです。コーネル大学で生命科学を学び、ワシントン大学とミシガン大学では、それぞれ教養学士号と比較政治学修士号を取得しています。メリーランド州立大学教授、ベルリン自由大学教授（２００７〜15年）を経て、２０１６年からミュンヘン工科大学教授。専門は公共政策、環境、気候変動です。２０１１年４月４日から５月28日まで、東京電力福島第一原子力発電所事故への国内対応としてドイツ連邦政府が設置した「安全なエネルギー供給に関する倫理委員会」（通称「脱原発倫理委員会」）に委員として加わりました。また２００８年から２０１６年までドイツ政府「環境問題専門家委員会」（ＳＲＵ）の委員なども務めました。

日本との関係は深く、１９８０年16歳のときに、茨城県立水戸第一高校に交換留学生として来日して以来、日本滞在は通算5年に及びます。この間、慶應義塾大学、中央大学、立教大学の客員教授を歴任しました。脱原発・自然エネルギー（＝再生可能エネルギー）社会へと大転換を遂げたドイツの歩みを経験的に語れる研究者・教育者・市民活動家として、現在も世界各地を飛び回り精力的な活動を行なっています。日本で刊行された書物に『ドイツは脱原発を選んだ』（岩波ブックレット、２０１１年9月）、『ドイツ脱原発倫理委員会報告』（吉田文和さんとの共編訳、大月書店、２０１３年7月）などがあります。

このような公的なプロフィールのほか、今回ミランダさんに同行するなかで、その人となりが伝わってきたエピソードについても、いくつか紹介しておきます。

超多忙（月平均3回ほども海外出張が入るとのこと）ななかで今回の招聘（しょうへい）に応じてくれたミランダさん。移動中はいつも、どっしりとした荷物を手にしていました。そのなかには、ドイツの学生たちの試験の答案も入っていたそうです。各講演会場に向かう新幹線のなかでは、パソコンに向かって講演の準備に余念がありません。講演最終日の打ち上げの席では、歓談の合間を縫（ぬ）って、ドイツ留学中の日本人学生に丁寧な研究指導を行なっていました。さすがにホテルに向かう真夜なかの地下鉄では、疲れと安堵のためか、すぐに目を閉じてしまいましたが、翌日、帰国前の朝食の席でも、前夜とは別の日本人留学生に研究指導を行なう姿が見られました。

その日の午前中に成田空港に着くと、ベルリンへの便が機器の故障で6時間遅れとなっていました。明日は朝からベルリンで大事な会議があり、自分は議長なので、何としてもそれに間に合わなければならない、とミランダさんは言います。結局、羽田発の便がひとつだけあることが分かり、急いでタクシーで向かい、何とか搭乗することができました。

各講演やイベントでは終始ユーモアあふれる態度で私たちを惹きつけ、多くのことを教えてくれたミランダさんでしたが、これらのエピソードは、誠実でエネルギッシュなミランダさんのさらなる魅力を伝えてくれるものとなりました。

東京講演（2018年２月27日）でのミランダさん（写真：枝木美香）

そのミランダさんに、いくつか質問してみました。高校生のとき、なぜ日本を留学先に選んだのですか？「世界に出てみたいと思って、ＡＦＳ［American Field Service：高校生海外留学支援ＮＰＯ］の選考を受けました。当時はまだ日本への希望者は少なかったので、チャンスがあると思ったんです」。そのころ日本にはどんな印象を持っていましたか？「あまりよく思っていませんでした。なぜかという

東京講演で明るく力強く語りかけるミランダさん（写真：奥留遥樹）

と、母は第二次世界大戦時に日本の侵略を受けたインドネシアで生まれたので、日本のことを悪く言っていたからです」。それで、日本に来てどうでしたか？　「ホームステイでお世話になった家族のなかにも、あのときの戦争で亡くなった方がいることを知り、戦争はどちらにとっても絶対いけないものだと分かりました。それからホームステイの家族に、とても温かく優しくしてもらい、それまでの日本へのイメージが変わりました。今でもその家族との交流があります」。日本語はどの程度話せたんですか？　「全然分からないで来たんです。でも1年間の留学を終えるときには、日本語で仏教に関するレポートを書けるまでになりました。一旦アメリカに帰りましたが、せっかく学んだ日本語をもっと自分のものにしたいと思って再び来日し、1年間ボランティアで富山県の幼稚園の先生もしました」。

アメリカのメリーランド州立大学（教授）で教えていて、なぜドイツに行ったんですか？　「そのころ私は地球温暖化問題に取り組みたいと思っていましたが、2001年に誕生したブッシュ大統領は、1997年の京都議定書［先進国全体の温室効果ガス6種の合計排出量を1990年に比べて少なくとも5％削減することを定めた］をクリントン前大統領の姿勢とは一転して拒否しました。それから私は、アメリカが始めたイラク戦争〔2003年〕に反対だったので、アメリカの大学で講義中、学生にそのことを伝えたんです。すると、学生から、『先生はパトリオット〔愛国者〕ではない』と非難されました。インターネットにイラク戦争反対者のリストが載せられると、私もその対象者としてバッシングを受けました。アメリカから出たいと思うようになったのは、それらがきっかけになりました」。

9・11の反米自爆テロ（2001年）が起きた3日後、アメリカ連邦議会下院で行なわれた「テロ報復の軍事行動を認める決議」に反対したのは、民主党の女性議員バーバラ・リーひとりだけ（420対1）でした。当時ブッシュ大統領の支持率は90％にも達しており、その延長線上にあった2003年のイラク戦争開始時でさえ75％を維持していました。ミランダさんがバッシングに遭ったのは、ちょうどその時期でした。

ミランダさんは2006年にドイツのベルリン自由大学から声がかかり、2007年に教授として赴任しました。ドイツは地球温暖化政策、環境問題対策などを積極的に進めており、またイラク戦争には国として明確に反対を表明していて、ドイツなら行きたいと思ったそうです。でも、ミランダさんの父親はドイツをよく思っていなかったと言います。理由は、「父はオランダ人で、オランダはドイツに侵略されて被害を受けていたから」だそうです。ミランダさんの半生には常に過去と現在の戦争がのしかかっているように感じられました。

そのミランダさんは、ドイツと日本について、3・11（東日本大震災、東京電力福島第一原子力発電所事故）直後に、次のように語っています。

「アメリカ人である私は、かつて日本に留学し、現在はドイツに住んでいるが、ドイツも日本も外から相対化してみている。ドイツ人が日本についてまず疑問に思うのは、広島と長崎に原爆を落とされたにもかかわらず、どうしてこれほどたくさんの原発を持っているのか、ということである。これはドイツ人にはとうてい理解できない。ふたつめは、日本は地震の多い国であるにもかかわらず、なぜ原発をつくったのか、ということだ。

一方、アメリカ人の立場からドイツを見ると、やはり持続可能な発展を追求していると思う。理想というものが、ドイツの文化にはある。自然を守ることが倫理となっている。

日本には理想がないとは思わないが、企業が利益を追求する力が非常に強く、理想の力を弱めているのではないだろうか。まるで、政治を動かしているのは企業であるかのようだ。東日本大震災後の今こそ、政治に倫理を導入することが求められているのではないだろうか」（『ドイツは脱原発を選んだ』岩波ブックレット、2011年9月）。

脱原発は「倫理」の問題である、そして原発問題に限らず日本の政治には倫理が必要である――

ミランダさんのこの指摘は、まさに正鵠（せいこく）を得ていると言えるでしょう。

ドイツの脱原発倫理委員会について

ドイツの「安全なエネルギー供給に関する倫理委員会」（通称「脱原発倫理委員会」）が果たした役割は、原発問題を、経済の問題としてではなく、まず倫理の問題として捉えたという意味で、歴史的と言ってもいいでしょう。同委員会の設立背景とその役割を、ミランダさんの今回の講演や吉田文和さんとの共編訳書『ドイツ脱原発倫理委員会報告』などを参考にまとめておきます。

3・11後のふたつの委員会　ドイツでは、福島第一原発事故当時、16基の原発が稼働していましたが、福島の事故の4日後には、アンゲラ・メルケル首相が1980年以前から稼働していた7基の原発を即時停止させました。同時に政府は自国の原発政策を検証するふたつの委員会を作り、ドイツの今後について提言を求めました。

ひとつは「原子炉安全委員会」です。この委員会がまとめた鑑定書では、ドイツの原発は福島の原発よりも高い安全性が認められるとの結果が出され、原発の即時停止という問題には一言も触れませんでした。

ところがメルケル首相が重視したのは、もうひとつの委員会である通称「脱原発倫理委員会」（正称「安全なエネルギー供給に関する倫理委員会」）の提言書でした。委員会のメンバーはミランダさんを含む17人（本書56頁**表1**参照）で構成されましたが、原子力の専門家や電力会社関係者はひとりも含まれていませんでした。

脱原発倫理委員会がまとめた結論は、福島の事故によって原子力発電のリスクは健康面でも環境面でも、また社会的にも経済的にも大きすぎることが分かった、だから一刻も早く原発を廃止し、よりリスクの低い代替エネルギー（再生可能エネルギー＝自然エネルギー）に転換すべきだというものでした。そして、この結論に沿って原発の廃止日までを含めた具体的な勧告を行ないました。こうして３・11からわずか３カ月後の２０１１年６月30日に、ドイツ連邦議会（本書48頁参照）はこの勧告を受ける形で、遅くとも２０２２年12月31日までにすべての原発の完全な廃止を、83％の賛成多数で決議したのです。

脱原発倫理委員会が果たした役割　この脱原発倫理委員会の主な任務は、脱原発についてと同時に、原子力と化石燃料に代わる代替エネルギーについて検討することにありました。委員会はまず、原発のリスクについて考えました。そして、原発の安全性においてドイツはおそらく世界で一番厳しい基準を持つとしながらも、福島規模の巨大事故が起きない保証はどこにもないとの判断を下しました。

また、放射性廃棄物を将来世代に残したまま、エネルギー多消費の生活スタイルを享受し続けることは倫理的にも許されないと明言しました。

次に、原発を止めても化石燃料の使用を増やしてはならないとして、現存する風力、太陽光、バイオマス、地熱、潮力などの再生可能エネルギーや、エネルギー効率化（あるいは省エネ）技術が寄与しうる将来的な可能性についても検討しました。さらに、再生可能エネルギー社会を構築し持続していくためのコストは、子どもの教育への投資と同じように将来世代への投資であるとし、こうした投資がまた、新たなエネルギー開発を活性化し、ドイツ全体の新たなビジョンづくりや経済発展にも寄与するはずだとの確認もしました。

脱原発倫理委員会によるこうした判断の背景には、それを支える同様の社会的議論がありましたが、それらの議論は学術的な研究によっても裏づけられていました。「原子力エネルギーよりも、再生可能エネルギーやエネルギー効率化［あるいは省エネ］技術の方が、健康リスク、環境リスクを低くする」「代替エネルギーの経済的リスクは、すでに再生可能エネルギー社会へと歩み出しているドイツ社会の現状から照らして、ほぼ回避できるという見通しを立てられる段階にある」——ほぼすべての学術研究がこうした結論を出していました。

ドイツの国家と市民社会は脱原発倫理委員会のこのような検証作業を経て、「原子力発電はよりリスクの少ないエネルギー源によって代替できる」という結論を引き出すことができたのです。

編著者

第1章
ミランダ・シュラーズさん来日講演（東京）

日時：2018年2月27日（火）18：30～19：40
場所：聖心女子大学ブリット記念ホール
主催：「ミランダさん講演会実行委員会」
共催：日本イラク医療支援ネットワーク（JIM－NET）／アーユス仏教国際協力ネットワーク／開発教育協会（DEAR）／国際環境NGO FoE Japan／APLA／CWS JAPAN／ふくしま地球市民発伝所／アースウォーカーズ／日本聖公会「正義と平和委員会」原発問題委員会／立教大学大学院キリスト教学研究科／ピースボート／福島ブックレット委員会
協力：聖心女子大学グローバル共生研究所（SHISF）

ミランダ・シュラーズさんは今回の来日で6回の講演を行ないました。いずれもテーマは**「市民による脱原発と自然エネルギー社会への道」**、会の目的は**「その道筋を共に考えるための場づくり」**という点で一貫したものとなりました。本章ではこれらの講演のうち東京講演の内容を報告します。

ミランダさんの日本語は明瞭で、その口調はとてもゆったりとしたものでした。ときおりユーモアを交えながら、決して上から目線にはならず、謙虚で、相手の立場に立って寄り添うような、心に届く話ぶりです。「高速増殖炉」といった専門的な用語を使う場面では、さすがにすぐには日本語が出てこないこともありました。そのようなときは会場の参加者たちが前後の話の流れから推測して「コウソクゾウショクロ?」と言葉をつなぎ、ミランダさんがその言葉を引き取って話すといったぐあいで、とても和やかな雰囲気によって「共に考える場」が作られていきました。

聴覚障がいの方には、共催団体の開発教育協会（DEAR）からボランティアによる要約筆記が提供され、ミランダさんの発言が同時進行で文字化されました。筆記が追いつかないときには、「もう1回」あるいは「ちょっと待って」と書かれたうちわが出されました。また司会者（佐藤真紀さん、JIM-NET事務局長・副代表）からは、進行の予定に合わせて「あと何分」といったカードも示されました。ミランダさんはそのたびに双方に相槌を打ちながら、慌てることなく、終始落ち着いた見事な対応ぶりで参加者を惹きつけました。

東京講演会案内ポスター

熱心に聞き入る参加者（写真：奥留遥樹）

演題「原子力発電を廃止し、低炭素エネルギー転換を追究するドイツの決定」

原子力発電の導入

私は１９６３年ニューヨーク州に生まれました。茨城県立水戸第一高校に留学したときは16歳でした。留学する1年前、スリーマイル島で原発事故が起きました。* この事故のために、私たちが通うニューヨークの高校も、長期休校になるかもしれないという緊迫した事態となりました［ニューヨーク - スリーマイル原発間は約２００キロ］。

＊1979年3月28日にペンシルベニア州スリーマイル島の原子力発電所で大量の放射能漏れによる事故が発生した。原子炉の冷却水ポンプが作動しなくなり、人為的ミスも重って炉心溶融に至り、非常事態の発令によって、付近の住民が避難を余儀なくされた。国際的な事故評価尺度（ＩＮＥＳ）ではレベル５であり、その後最悪レベルを記録する旧ソ連のチェルノブイリ原発、福島第一原発のレベル７に次ぐ規模であった。

それが私の初めての「原子力の経験」で、原子力問題は私が生まれ育ったアメリカから直接的な経験として学びました。

ところでドイツは日本と同じように第二次世界大戦で、アメリカやイギリスを中心とする連合軍に敗れました。広島、長崎に原子爆弾を使ったアメリカには、戦後、兵器としてこの原子力をどう利用するかという戦略的課題がありました。大統領アイゼンハワー〔在任1953年1月〜61年1月〕は、あれほどの破壊力を持つ原子力を「平和利用」しようと訴えたのです。「Atoms for Peace」〔平和のための原子力＝核〕と題した1953年12月のアイゼンハワーのスピーチは、原子力エネルギーによる「平和」な事業をドイツや日本などへ拡大するプログラムへとつながることになりました。とはいえ、大統領が本当に考えていたことはそれとは違っていたと思います。*

＊東電福島第一原発事故の大惨事を報ずるアメリカの科学誌「ブレティン・オブ・ジ・アトミック・サイエンティスツ」電子版は2011年4月13日、「日本原子力史とアイゼンハワー」と題するピーター・カズニック氏の論文を掲載した。世界の非核化の実現を唱える「非核の政府を求める会」のホームページがその抄訳を掲載している。「アイゼンハワーは、原子力平和利用を煙幕として利用しつつ、歴史上最も急速かつ無謀な核エスカレーションを追求した。アメリカの核軍備は、かれの政権の発足時における核兵器の保有数1000発超から、退任時のおよそ2万2000発へと拡大した」（閲覧日：2018年10月27日）。

アメリカは戦後の米ソ冷戦構造のなかにあって、ドイツや日本がソ連側の共産主義陣営に取り込まれてしまわないように、ドイツにも日本にも原子力の技術を提供したのです。ドイツ人は日本人と同じように、戦争に疲れた、もう二度と戦争はしたくない、平和が欲しいと思いました。そこにアメリカ側から「平和」の技術が提供されたので、ドイツも日本も原子力に飛びつき、すごい投資をしました。

ドイツが商業用原子力発電所の送電を開始したのは１９６０年代後半からです。70年代には日本と同じように、ドイツでも「原子力は近代的」「原子力は未来」というイメージが出来上がりました。しかしそのイメージは、ドイツ人皆が受け入れたということではありません。これに反対していた人々も多かったのです。

横断幕に「カイザーシュトゥールには原子力発電所はいらない」とある
（写真：Meinrad Schwörer）

原発建設に反対した人々

この写真は１９７３年、原子力発電所建設計画に反対するドイツ市民による大規模デモの様子です。フランスとの国境に近い、フライブルク近郊のカイザーシュトゥールという村に原子力発電所を造るという決定があって建設し始めようとしたときに、周りに住む人たちが立ち上がり、デモを行なったのです。住民だけでなく、ドイツ全体から２万５０００から３万人の市民が集まって反対の声を上げました。

この例はドイツの歴史のなかでとても大事な出来事となりました。なぜかというと、プロテスト［抗議行動、反対運動］

の動きが成功し、原発建設が中止されたからです。

しかし、それでも新しい原子力発電所をあちこちに造るという計画が立てられ続けました。例えばオランダの国境の近くに計画され、1973年より建設が開始されたカルカー高速増殖炉もそのひとつでした。日本と同じようにドイツも高速増殖炉の建設に入りたかったのです。*ここの場合も、すごくたくさんの人々が集まって反対行動を取り、とても大きなデモとなりました。ところが、それにもかかわらず建設されてしまったのです［1985年完成、試運転。本書163頁参照］。

高速増殖炉の建設に反対するカルカーの市庁舎前を埋め尽くしたデモの人々（写真：Rob Mieremet / Anefo、1974年9月28日）

*高速増殖炉とは、高速中性子による核分裂の連鎖反応を利用し、発電しながら使った以上の燃料を生み出す「夢の原子炉」と夢想されていた。しかし今日に至っても実現した国はなく、ロシア、フランス以外次々に中断、あるいは撤退。日本の「もんじゅ」（福井県敦賀市）は建設、運営費に1兆円を投じたものの、事故や不祥事が相次ぎ、稼働日数は22年間でわずか250日、2016年12月、政府は廃炉を正式に決定した。その反省もないまま、政府はフランスと新たな高速実証炉「ASTRID」（アストリッド）を共同開発するとしてきたが、フランスは2020年以降、計画を凍結する方針を日本側に伝えた。

ドイツでは次々と原子炉を造る計画が持ち上がり、1979年には首都だったボン［当時は西ドイツの首都」でも大がかりな反対運動が起こりました。しかし、やはり政治は変わりませんでした。

今の日本とちょっと似ているのではないでしょうか。原発建設計画がどうして強引に進められたかというと、日本で原子力村という言葉があるように、ドイツでも同じような利権構造があったからです。また、大政党であるキリスト教民主同盟〔中道右派〕、あるいは社会民主党〔左派〕、さらには多くの既成メディアも当初は原子力を推進したからです。

1979年10月14日にボン・ホーフガルテンを埋め尽くした反核抗議行動
（写真：Hans Weingartz）

緑の党の誕生

ただ、日本とちょっと違うのは、１９７０年代のそうした抗議行動のなかから、もうひとつ別の動きが出てきたことです。別の動きとは、不満を持っていた市民たちの間で、抗議行動や反対運動によって政治を変えることができないなら、自分たちが議会のなかに入って、そこから政治を変えようという新たな動きのことです。しかし70年代は少ししか成功しませんでした。ドイツでは総得票数の５%を獲得しないと議席が取れないという規定があります。

このようななか、１９８０年1月に環境保護と反原発で意見を共にする、反戦・平和、動物愛護、男女同権などさまざまな主張を持つ市民が集まって「緑の党」が誕生しました。

緑の党は１９８３年に５・６％の得票率に達して27議席を獲得し、とうとう連邦議会入り*を果たします。

＊連邦議会（法定定数５９８）は国民の選挙によって選出され、連邦参議院（同69）は各州政府によって任命される。基本的に連邦議会の権限が強い。

当時、ドイツの議会には女性はほとんどいませんでした。緑の党は「原子力反対」だけでなく、「男女平等」を積極的に掲げる党として国政に登場しました。以来、議会に女性がいっぱい入ってきて、机の上に花を置き、色とりどりの洋服を着て、賑やかな議会に変えようという流れが作り出されていきました。

緑の党が変えたのは女性の数だけではありません。送り出す議員の数はフィフティ－フィフティ［半々］と平等で、男性ひとり女性ひとりの比率としました。緑の党はいろいろとうるさい党で、議会では次々と新しい法案を提出しました。もっとも、そのほとんどは数の力に押されて通りませんでしたが、与党の出す危険な法案に対しても活発な議論を展開しました。そのひとつが、アメリカの核兵器搭載ミサイルを西ドイツに配備する計画に関するものです*。

＊ソ連の核弾頭搭載中距離弾道ミサイル配備に対抗して、アメリカ主導の北大西洋条約機構（ＮＡＴＯ）は１９８３年、西ヨーロッパ全域に中距離弾道ミサイルを配備する決定を下した。ドイツで平和運動が活発化するのは、これに対する抗議行動が発端だった。このとき、多くの西ドイツ市民がＮＡＴＯおよびアメリカによる西ヨーロッパ各国内への核兵器配備に反対して抗議行動を続けた。結局、アメリカの新型核ミサイルは84年から西ドイツ、ベルギー、オランダ、イタリアに配備され、その数は当時の西ドイツ領だけでも数千発に及んだ。

戦争はひどい事態を引き起こす、戦争はもうこりごりだ、だから核兵器は絶対に配備してはならない――。緑の党はそう訴えたのでしょう。しかし、緑の党は数で負け、ミサイルはドイツに配備されてしまいました。

チェルノブイリ原発事故がドイツに与えた衝撃と変化

緑の党は当時５％台の党だったので、まだ国政を変えることはできませんでした。１９８６年４月、旧ソ連のウクライナにあったチェルノブイリ原子力発電所が爆発しました。これはドイツにも非常に大きな影響を及ぼしました。チェルノブイリからの放射性物質がスウェーデンを通り、デンマークを通り、オランダを通って、ドイツの上空までやって来たのです［深刻な汚染を受けた州都ミュンヘンのあるバイエルン州まで約１３００キロ（福島－鹿児島間約１２００キロ）］。そこに雨が降り、ドイツも汚染されました。こうしてドイツ人は１９８６年になって初めて放射性物質セシウム１３７の存在や、ベクレル（becquerel）あるいはマイクロシーベルト（μsv）という数値の意味を知ったのです。たぶん皆さんも福島の前はそのような言葉は知らなかったと思いますが、ドイツの人々もチェルノブイリの事故が起きるまではそうでした。

当時ドイツでは、野菜は食べない方がいい、マッシュルームは食べてはいけない、イノシシはマッシュルームを食べるから、イノシシは食べてはいけない、などと言われていました。ドイツ人はイノシシが大好きなのです。今でも、ある地域ではイノシシは食べてはいけないことになっています。ところで、チェルノブイリの事故は皆の意識を変えただけではなく、政治も変えました。＊

＊政治的な変化の背景には、１９８９年11月の「ベルリンの壁」崩壊、90年10月の「統一ドイツ」成立、91年８月のソ連消滅と東西冷戦の終結等があったことを踏まえておきたい。

ドイツ環境省の誕生

ひとつの大きな変化はチェルノブイリの事故後、１９８６年６月にドイツ連邦環境・自然保護・原子力安全省（ＢＭＵ：略称、ドイツ環境省）ができたことです。日本の場合、原子力安全委員会［２０１２年９月、原子力規制委員会へ移行］は通産省の管轄下でしたが、ドイツでは環境省設置以降、同省が原子力安全を扱う体制となりました。その差は非常に大きなものがあります。環境省であるからには、もちろん原発については環境への影響を第一に考えなければなりません。原子力に対する市民の意識も変わりました。チェルノブイリ以降、ドイツは新しい原子炉を造らなくなりました。

ドイツは１９６０年代に原子炉を造ることを決めたとき、同時に最終処分場も造らなければならないと決めました。しかしその決定過程はトップダウンの方式でした。そのころの政治のやり方です。専門家を集めて、ドイツの地図を広げ、どこが適しているかを決めたのです。冷戦時代ですから、このころのドイツは西ドイツと東ドイツに分かれていました。

最初に最終処分場候補地になったのはゴアレーベンという村で、東ドイツの国境近くです。原子炉は「危険を遠ざけるために」国境近くに選ばれるというのが常で、最終処分場もそうでした。１９７７年にゴアレーベンが最終的な放射性廃棄物処分場に決まると、地元を中心にしてすぐに激しい反対運動が起こされ、運動は２０１３年３月の計画白紙撤回に至るまで36年間にわたって続けられました。輸送路にバリ

ゴアレーベンへのキャスターの輸送を阻止するために設置されたバリケード（写真：Father of Hendrike、2006年５月26日）

市内を黄色いドラム缶を転がしてのゴアレーベンの核廃棄物処分場計画に対する抗議行動（写真：Uwe Hiksch、2012年２月９日）

ケードを築いたり、鉄道の線路上でプロテスト〔抗議行動、反対運動〕したり、あるいはそこに寝ころんだりして、反対の意思を貫きました。そして再処理用にフランスに送った放射性廃棄物が再び戻されて来るのを阻止したのです〔本書64頁参照〕。

ここで、**ドイツの反原発運動の特徴**を見ておきます。ドイツ在住のジャーナリスト熊谷徹さんはその特徴を概ね次のように指摘しています。ドイツは、ナチスの時代に中央集権制を取って大きな過ちを犯した経験から、戦後はフランスや日本と違って、地方分権を重視する連邦国家となり、地方政府の権限強化に力を入れました。その結果、すべての州政府は原発の規制官庁を持ち、原子炉の運転許可を出す権限を握っています。このため、中央政府が原子力を推進する政策を取っていても、州政府は住民の意見を無視してまで原発の運転を許可することはできません。一方、日本におけるような、電源開発を促進するための電源三法による地方自治体への多額の補助金（大きな危険性を伴う原発建設などへの反対を押さえるための地方自治体への交付金、補助金）などはありませんでした。それが、住民が原発反対運動に積極的に参加できる余地を作りました。またドイツのメディアは福島の事故以前からエネルギーや環境問題、原発の安全性、核廃棄物処理施設問題、エネルギー政策などについて積極的に報じ、さらにドイツのジャーナリストには原子力に批判的な姿勢を持つ人が多く、メディアが電力業界のために「原発の安全神話」を積極的に広めるということはしませんでした（『脱原発を決めたドイツの挑戦』角川新書、２０１２年７月）。

緑の党の政権参加と脱原発、再生可能エネルギー法の成立

１９９８年になるとドイツで初めて緑の党が政権に入りました。社会民主党が選挙で高い得票率を確保し、緑の党と同盟90〔東ドイツの民主化に関わった市民グループが結成〕が93年に結合した「同盟90／緑の党」と新しい連立政権（１９９８〜２００５年）を作ったのです。社会民主党はチェルノブイリの事故までは原発を推進していましたが、事故後は反対の党になりました。チェルノブイリの事故は非常に大きなインパクトを与えました。勝利した2党が98年の選挙で掲げたマニフェストの柱は「脱原発」でした。そして２０００年に初めて脱原発の法律ができました。＊続いて同じ年に「再生可能エネルギー法」が作られました。それは非常に重要な一歩でした。

＊２０００年、シュレーダー連立政権は、主要大手電力会社4社との間で歴史的な「脱原子力合意」を達成した。合意に基づき改正された原子力法によると、1基の原子炉の運転期間は32年間に限られ、新たな原発や再処理施設の建設は禁止された。電力大手4社による合意の裏には、32年の稼働期間ならば原子炉の減価償却が可能で、十分採算が取れるという計算があった。この結果、ドイツ国内にある原発は２０２０年代前半までにすべて停止することになった。ここで注目すべきは、ドイツでは、電力会社との合意を前提に将来のエネルギー計画を検討し、脱原発への道を描き出したという事実である。

原発運転期間延長計画への抗議運動

ドイツは変わったのです。日本は変わりません。社会民主党と同盟90／緑の党の連立のあとは、

原子炉の稼働年数延長計画に反対する2010年の国会議事堂前の抗議行動（写真：Kai Martin、2010年９月18日）

２００５年からメルケルを首相とするキリスト教民主同盟と社会民主党との連立［〜２００９年］でした。社会民主党が連立政権に残ったために、脱原発の法律はそのまま続きました。

キリスト教民主同盟は、日本でいうと自民党に近く、と言ってもそれよりも左の党ですが、そのころは原子力推進の立場を取っていました。キリスト教民主同盟よりもっと保守的な党が、自由党と自由民主党です。２００９年10月になると、今度は自由党とキリスト教民主同盟が連立を作って第二次メルケル政権が発足し、２０１０年には原子炉の稼働年数を平均12年延長する決定をしました。今の日本の自民党が主張するように、地球温暖化問題があるから、脱化石エネルギーと自然エネルギーが普及するまでは原子力を使う必要がある、という理由です。

しかし、その決定にドイツの市民たちは同意せず、反対したのです。チェルノブイリのときと同じように、女性たちは反対運動の中核を担って、ベルリンの国会議事堂前で大規模な抗議行動を起こしました。数万人が集まり、私も参加しました。

でも、プロテストしても政治は変わらず、あんなに人々が集まっても延長計画は中止されませんでした。

東電福島第一原発事故と脱原発倫理委員会

しかし福島の事故が起こりました。ドイツ人には福島の事故は既視感がありました。そう、チェルノブイリの原発事故を思い出したのです。日本のニュースをフォローして、ドイツでも、子どもたちは外で遊ばせない方がいい、あるいはサラダを食べさせない方がいい、となったのです。ドイツ人にとって、それは前に聞いたことがありました。

チェルノブイリ直後のキリスト教民主同盟の立場は、「あれはソ連の技術だから起きた事故だ。技術の進んでいるドイツではありえない、まったく心配ない」というものでした。

私は福島の原発事故のとき、3日間ドイツのテレビの放送局に泊まり込みました。インタビューを次々と受け、日本で起こっていることをどう思うかと聞かれたのです。

2週間後にはメルケル首相の秘書から電話がかかってきて、「倫理委員会を作るのですが、メンバーになってくれませんか」と。それはドイツで初めてのエネルギーについての倫理委員会でした。これまでも倫理委員会は数多く作られてきましたが、ドイツの文化のなかでは、大体は生活のあり方についての倫理委員会で、エネルギーについての倫理委員会はありませんでした。日本でもそう

表１　ドイツの脱原発倫理委員会委員17名

政治家（６名）	学識経験者（８名）		その他（３名）
委員長：クラウス・テプファー（CDU、元連邦環境大臣）	委員長：マティアス・クライナー（ドルトムント工科大学教授、金属工学、ドイツ研究振興協会代表）	ヴァイマ・リュッベ（レーゲンスブルク大学教授、哲学者、ドイツ倫理評議会メンバー）	ウルリヒ・フィッシャー（プロテスタント教会バーデン地区監督）
クラウス・フォン・ドナニュイ（SPD、元連邦教育大臣）	ウルリヒ・ベック（元ミュンヘン大学教授、リスク社会学者）	ルチア・ライシュ（コペンハーゲン・ビジネススクール教授、経済学者）	ラインハルト・マルクス（ミュンヘン、フライジング地区カトリック枢機卿）
アロイス・グリュック（CSU、ドイツ・カトリック教中央委員会委員長）	イェルグ・ハッカー（ドイツ国立レオポルディーナ自然科学アカデミー会長）	オルトヴィン・レン（シュトゥットガルト大学教授、社会学者、バーデン・ヴュルテンベルク州持続可能な発展審議会会長）	ユルゲン・ハンブレヒト（ドイツ総合化学メーカーBASF会長）
フォルカー・ハウフ（SPD、元連邦科学技術大臣）	ラインハルト・ヒュットル（ドイツ地球科学研究センター所長）	ミランダ・シュラーズ（ベルリン自由大学教授、政治学者、同大環境政策研究所所長）	
ヴァルター・ヒルヒェ（FDP、ドイツ・ユネスコ委員会会長）			
ミヒャエル・ヴァシリアディス（SPD、鉱山・化学・エネルギー産業別労組議長）			

＊メルケル首相の委託により、原子力（技術）の専門家ではなく社会の代表として委員を選定。
＊ CDU＝キリスト教民主同盟、SPD＝社会民主党、CSU＝キリスト教社会同盟、FDP＝自由民主党。

であるように、それまでのエネルギー議論はたいていが経済的に見合うかどうかといったことが中心だったわけです。この倫理委員会［安全なエネルギー供給のための倫理委員会（通称、脱原発倫理委員会）、設置：2011年4月4日～5月28日］の17人の委員を見ると非常に面白く、原子力技術の専門家あるいは原発の会社から来ている人はひとりもいません。私はといえば外国人で、環境政策を教えているアメリカ人です［表１］。

脱原発倫理委員会の議論と公開イベントを基にした提言

脱原発倫理委員会によって議論されたことはたくさんありましたが、その前提は極めて明確でした。福島を見て、チェルノブイリを見て、原子力が安全だということは絶対に言えない、事故はありうる、ドイツでも起こりうる、ドイツで福島のような事故が起きれば、ドイツの広い地域は人が住めない場所になってしまう、政治家の役割は市民を守ることにあるのだから、守れなければその責任は倫理的問題になってくる、などなど。

日本でよく耳にするのは、日本のエネルギーは乏し過ぎる、石油も石炭も天然ガスも全部輸入しなければいけない、だから原子力を推進する必要がある、というものです。しかし、その議論はおかしいのです。ドイツも既存のエネルギーは石炭以外何もありませんでした。しかし、実際には自然エネルギー［＝再生可能エネルギー］はたくさんあるのです。日本はドイツ以上ではありませんか。ドイツは自然エネルギーの豊かな国です。風力、太陽光、地熱、水力、そのようなエネルギーがたくさんあります。地球温暖化問題はとても深刻な問題です。原子力を止めながら石炭もやめ、石油や他の化石燃料もやめなければならないのです。もちろんそれは1日で変えられるわけではありません。エネルギー転換は一つひとつ計画立てて行なうべきものなのです。

脱原発倫理委員会の公聴会（2011年４月24日）でのミランダさん
（写真：M. Schröder）

高レベル放射性廃棄物はどこに捨てるのか

もうひとつ倫理的にとても大事なのは、これからの世代のことです。ドイツの法律によって、高レベル放射性廃棄物は10

脱原発倫理委員会の大規模な公開イベント（写真：連邦首相府 Aileen Singer）

0万年もの間安全に保管しておくべき類のものとされ、どこでどのような方法で長期保管設備を建設するかは克服しなければならない大きな課題であるとされています〔2017年、ドイツ政府「最終貯蔵所立地選択法」〕。これは子孫に対するとても大きな倫理的な問題なのです。

脱原発倫理委員会による議論は小さな17人のグループだけでやってきたのではありません。いくつかの公開イベントも組みました。そこにメディアを呼んで、テレビ放映もされました。あるキー局は9時間放映をしました。写真のような大きな建物に大勢の参加者が集まりました。委員の発言だけでなく、会場にマイクを向けて行なわれた何人もの方々へのインタビューは熱気に包まれたものになりました。

インタビューではとても大切なやりとりがありました。例えばこうです。委員のひとり、ウルリヒ・ベックさん〔1944‐2015、社会学者。現代社会が抱えるリスクを警告した著書『危険社会』（1986）で知られる〕が原子力産業に携わっているある会社の社長さんに質問します。「あなたには孫はいますか？」「はい」、「チェルノブイリは経験しましたか？」「はい」。ウルリヒ・ベックさんは顔を真っ赤にして、「あなたは〔原子力について〕倫理的に考えたことはありますか、次の世代のことを考えたことはありますか」と問いを重ねました。別の委員からは、原発が立地するある町の首長さんに対して、「原発がなくなった場合、そこで働いていた人たちの仕事はどこで見つけるのですか」という質問が向けられました。私たちは、こちらの側からだけでなく、あちらの側からもいろいろな意見を聞きたかったのです。

２０１１年５月30日、これらのインタビューも含め、私たちはそれまで行なってきた脱原発倫理委員会の議論をレポートにまとめてメルケル首相に提出し、できるだけ早く原発から自然エネルギーに転換するよう求めました。

原子炉の停止から自然エネルギーへ

その次の日のことです。メルケル首相は原子力を２０２２年までに停止する提案をしました。私たちのレポートを読んだからそうなったとは言えないでしょう。しかし、もし私たちのレポートが違うことを言っていたら、その提案にはならなかったでしょう。

福島の事故のとき、ドイツでは16基の原子炉が稼働していました［全17基中1基は２００７年のトラブル以来停止中］。ドイツの電力消費量の23％でした。しかし、事故後の対応は早かったのです。メルケル首相は、福島の事故の４日後に、１９８０年以前に運転を始めた［稼働30年を過ぎた］老朽化した７基の原子炉を即時停止させました。そして提案したスケジュールに沿って２０２２年までに残りの9基を停止するとしたのです［2020年1月現在、稼働中は6基（本書157頁参照）］。幸いにメルケル首相は、他のリーダーに比べて地球温暖化問題を大事にしていました。彼女は、以前は原子力を推進していましたが、原子炉の停止を決めたあとは、自然エネルギーの方向に向かったのです。

地域レベルでの再生可能エネルギーの先駆者。背景は太陽光パネル（写真：EWS-Schönau）

市民からの草の根のエネルギー転換

ドイツは海上風力発電も行なっています。ドイツのエネルギー転換は、ドイツの霞ヶ関にあたるベルリンだけでやっているわけではありません。ドイツのエネルギー転換は、はじめは下から、市民から来たものでした。現在、ドイツではあちこちで自然エネルギー100%の地域づくりが行なわれています。あるいは、それを目指してがんばろうとしている地域がたくさんあります。この10年間ほど、「100%再生可能エネルギー地域会議」という市民会議が毎年行なわれていて、2012年9月にはドイツ中部の小都市カッセルに、全国から800名もの人々が集まりました。

右の写真は、地域レベルでの再生可能エネルギーの先駆者、シェーナウ［ドイツ南西部、バーデン

＝ヴュルテンベルク州］在住のウルスラ・スラデックさん［左］、マイケル・スラデックさん夫妻です［本書87頁参照］。

チェルノブイリの事故のあと、ウルスラ・スラデックさんは地元のお母さんたちを集めて、事故を教訓に何かを始めたい、何から始めようかと呼びかけました。話し合った結果、「私たちは何も考えずに原子力を使っていた。だからまず、原子力は使わないようにしよう」ということになりました。言うのは簡単ですが、実際にやるとなると簡単ではありません。なぜかというと、ドイツには自然エネルギーの法律はまだなく、個人が作っている電気は電線に入れることができなかったからです。そこで何をやったかというと、ウルスラさんは自分たちで自然エネルギーを作り出しながら、その電気を地域で共同利用できる運動を始め、そのための法律化を政府に訴えたのです。こうして少しずつ少しずつ制度が変わり、市民の権利が開かれていきました。ドイツにおいてスラデックさん夫妻は、自然エネルギーのママ、パパとして知られています。

フライブルク近郊にカイザーシュトゥールという村があります。先ほど、この話の初めに原発建設反対デモの写真で紹介したフランス国境付近の村です［本書45頁参照］。原発建設の中止によって、この地域は自然エネルギーに投資し始めました。フライブルクはドイツのなかでも特に早い動きを示して、自然エネルギーの町づくりが可能であることを証明しました。実際、自然エネルギーを使わなかったら、この地域のエネルギーは足りなくなっていたでしょう。この地域はいろいろな面で自然エネルギーを発展させて、他の多くの地域にその可能性を示してくれたのです。

地球温暖化問題はドイツ人には非常に大きな問題として捉えられています。ドイツは脱原発をしながら、２０５０年までに二酸化炭素（CO_2）の排出を完全にゼロにしようというくらいの意気込みで、１９９０年比で、温室効果ガスを80％から95％削減するという目標を立てています。脱原発とともに脱石油、脱石炭、脱天然ガスをしなければなりません。もちろん全部同時にはできませんが、柔軟に脱、脱、脱……と。

２０１７年の数字では、ドイツの総電力量に占める自然エネルギーの割合は33％です。デンマークは40％、ノルウェーではなんと１００％の達成率です。しかしドイツの人口はノルウェーやデンマークの10倍以上ですから、ドイツの普及量も相当なものです。また、ドイツはアメリカ、中国、日本に次ぐ経済大国です。経済優先の国々にとって、自然エネルギー政策は経済効率が低いという理由で後回しにされがちですが、それにもかかわらず、ドイツは自然エネルギー33％を達成したのです。＊１９９０年の普及率はわずか３％だけでしたから、年に1～2％ずつ増やしてきたことになります。

＊ドイツの２０１９年の再生可能エネルギーによる発電量は全体の46％を占め、化石燃料の40・2％をしのいだ（フライブルク市に拠点を置くヨーロッパ最大の太陽エネルギー研究機関、フラウンホーファー太陽エネルギーシステム研究所［ＩＳＥ］２０２０年1月1日付報告書）。２０１８年の日本国内における自然エネルギーの全発電量（自家消費含む）に占める割合は17・4％（環境エネルギー政策研究所推計）。

どうしてドイツには自然エネルギーに対する反対が少ないのでしょうか。日本はここ数年、随分と自然エネルギーが普及しましたが、けっこう反対の声もあると聞いています。風力は、音がうるさい、大き過ぎる、場所がない、などと。１９９０年代にはドイツでもそういう話がありました。今もまったくないとは言えませんが、友だちが集まって、みんなで学校の屋根に太陽光パネルを付けようといった話はあちこちから聞かれるのが普通です。

ドイツでは、２０００年に「固定価格買取制度」（ＦＩＴ）〔再生可能エネルギー法に基づく、自然エネルギー生産に対する買取保証制度〕を取り入れて、地域のエネルギー転換を、国が後押ししてきました。そのため大きな会社はあまり投資をしていませんでした。自然エネルギーを推進してきたのは市民たちで、だからエネルギー転換は草の根の転換なのです。

原発の廃棄物をどうするか、ドイツでもこれについてはいろいろな問題があります。そのひとつが、低レベルあるいは中レベルの放射性廃棄物をアッセ〔ドイツ北部ニーダーザクセン州〕にある岩塩鉱山に埋めたことから生じた問題です。１９７０年代に岩塩鉱山は放射性廃棄物の処分場として使用されました。ところが、深い地層を持つ乾燥した山だから問題ないと思っていたら、そこに水が入ってしまっていたことがあとで分かったのです。放射性廃棄物を閉じ込めていた缶が錆びる恐れがありました。放射能が漏れてくる可能性が出てきたのです。

高レベル放射性廃棄物処理委員会

ドイツが脱原発を決めたとき、同時に決めなければならなかったのが、新たな処分場をどこに造るかというこの問題です。先ほどお話したように、強い反対運動があった東ドイツ国境近くのゴアレーベンという村は、今は最終処分場計画が撤回されてフリーになっています。だから国としては、処分場の問題については最初からやり直す必要が出てきたのです。ただし、今回のやり方はこれまでとはまったく違う方法を取っていて、ドイツのもうひとつの革命とも言うべきものになっています。新たな処分場計画をめぐっては、まず２０１４年から２０１６年にかけて「高レベル放射性廃棄物処理委員会」で議論されました。業界、市民グループ、国会議員、地方自治体からなる47人のメンバーで構成された同委員会は、７００ページのレポートを作成して、最終処分場問題に関する新しいプロセスについて提案しました。

その提案に基づいて、次の３つの機関が作られました。

１　最終処分のための連邦会社

２　核廃棄物管理連邦事務所

３　原子力廃棄物処分現場選定のための国家諮問委員会（Nationales Begleitgremium）

３番目は私が入っている機関です。この国家諮問委員会のメンバーは、今は９人で、最終的には18人のメンバーに拡張される予定です。現在、市民代表の参加メンバーは９人中３人ですが、いずれ6人に拡大される予定です。

私たちの役割は、他のふたつの機関や政府が、やるべきことをちゃんとやっているかどうか、それを見極めることです。つまり、他のふたつの機関や政府のやっていることが社会に分かりやすく伝わっているかどうか、そのやり方が信頼を得ているかどうか、それをフォローし、批判するのが私たちの委員会の役割なのです。メンバーのうちのひとりはドイツで最も権威ある環境政策専門家、元環境大臣のクラウス・テプファーさんです。

この委員会の面白いところは、委員長がふたりいることです。必ず男性のリーダーと女性のリーダーをひとりずつ立てることにしました。女性委員長は私が務めています。あとのメンバーのうち4人が専門家で、3人が市民の代表です。

委員を募るのに7万5000人に電話

国家諮問委員会を動かすにあたっては、メルケル首相の事務所からも問い合わせがありました。国民の信頼を得るには、やはり市民たちとの交流が必要である、政府としてどうしたらいいかと。そこで私たちは提案しました。市民の皆さんにこちら［＝政府］から電話をかけて、参加を呼びかけましょう、と。こうして最終的には、7万5000人もの市民に電話をかけることになりました。

電話の内容は例えばこうです。「皆さん、ドイツは脱原発をしますが、ご存じでしょうか？」「はい」、「廃棄物の問題があるのをご存じでしょうか？」「はい」、「私たちはその問題を検討するために、今から新しい委員会を作るのですが、それに参加することは考えられますか？」と。こうして7万5000人に電話して、350人が参加について「はい」と応えてくれました。今その350人が市民サポーターとして委員会に登録され、そのうちの3人が委員会のメンバーになっています。

市民と一緒に考え解決する

私たちは政府や政府機関がやっていることをフォローし批判しながら、市民と直接会って交流し、「このとても大切な問題をどうにかして一緒に考え、解決しましょう」と市民に呼びかけているのです。その呼びかけのポスターには、こう書かれています。

「誰しも自分の庭には廃棄物処分場は欲しくありません。それでも私たちは社会に対して責任を持っているので、止むをえず、それを許します」。

ポスターのようになるかどうかは分かりませんが、この処分場問題がドイツの抱えているもうひとつの現在の問題です。少なくとも、私たちに分かっているのは、原発を稼働し続けると、この核廃棄物問題がさらに深刻化してくるということです。だから今重要なのは、なるべく早く脱原発を成し遂げ、この問題が今以上に大きくならないようにすることなのです。

講演の最後にミランダさんは、**核廃棄物を管理するためのコスト**について話しました。ドイツの場合、廃炉や廃棄物処理には少なくとも1700億ユーロ（約22・3兆円）が必要だとする、ドイツでも有力なシンクタンクとされるドイツ経済研究所の推定をミランダさんは紹介し、その困難さと覚悟を示しました。ドイツの原発は17基ですので、これを54基の日本に当てはめると、福島第一原発の事故処理費用を除いても70・8兆円の国家予算になるという計算です。

ここで今回の福島での事故処理費用についても見ておきましょう。公益財団法人日本経済研究センター（1963年設立。約340の企業・団体を会員とするシンクタンク）は2019年3月7日、福島第一原発事故の2050年までの処理費用が、前回2017年3月に試算した約70兆円から大幅に膨らみ、最大で81兆円になると発表しました。内訳は、廃炉・汚染水処理が51兆円、被害者への賠償が10兆円、除染が20兆円となっています。

この東京講演に続き同会場で行なわれたトークセッションの模様については終章で報告します。

第2章 被害地福島の再生に取り組む人々と語り合う（郡山市）

日時：2018年2月26日（月）18：00〜20：00
場所：郡山商工会議所会議室
主催：アーユス仏教国際協力ネットワーク、APLA、日本イラク医療支援ネットワーク（JIM-NET）
協力：「ミランダさん講演会実行委員会」、飯舘電力、二本松有機農業研究会この企画は、「ミランダさん講演会実行委員会」のひとり、佐藤真紀さん（JIM-NET事務局長・副代表）がコーディネートしたものです。

地元福島からは、飯舘電力株式会社専務取締役の近藤恵さん、二本松有機農業研究会会長の大内督さん、獨協医科大学准教授・放射線衛生学者の木村真三さん、そして福島県農民運動全国連合会（農民連）会長の根本敬さんの４人が最初に報告されました。司会は佐藤さんです。

1　福島からのプレゼンテーション

①自然エネルギーでの自立……近藤恵（飯舘電力株式会社専務取締役）

近藤　ミランダさんは福島の皆さんの話を聞きたいというお気持ちもあると思いましたので、逆に今日はミランダさんのお話の前に、私たち地元福島の側から４人がまず報告し、そのあとで車座になって会場の皆さんとディスカッションをしたいと考えました。皆さんが日頃思っていることなどを言葉にし、福島からこそ、こう考えていかなければならない、という発信ができる会になればいいと思っています。

車座での議論を、と呼びかける近藤恵さん（写真：枝木美香）

悔しい思いをエネルギーの自立で果たしたい

福島の事故後、湖が放射能で汚染されたため、水を命にしていた酒造会社〔会津・喜多方の地で江戸時代より続く合資会社「大和川酒造店」〕の佐藤弥右衛門さん〔9代目社長〕が、自分たちの悔しい思いをなんとか「エネルギーの自立」で果たしたい、ということで2013年8月に会津電力株式会社〔本社：福島県喜多方市〕を設立しました。日本は年間22兆円に及ぶ化石燃料を輸入に頼り、まったく自立していなかった…、そういう反省もあって、震災・原発事故後に電気を自分たちで作る事業を考え始めたのです。環境エネルギー政策研究所所長の飯田哲也さんと出会ってそれが具体化し、立ち上げることになった会社です。

子どもたちにどういう社会を引き継ぐのか、もちろん脱原発にシフトして行きたいが、自分たちにできることは何かと一生懸命考えた結果、そのひとつとして出てきたのが電力会社を自前で作るという発想でした。自分たちでも再生可能エネルギー〔＝自然エネルギー〕を導入できる、ということで始めたのが会津電力です。今、8つの自治体〔喜多方市、磐梯町、猪苗代町、西会津町、北塩原村、只見町、三島町、昭和村〕と住民から出資を受けて、資本金は8000万円ですが、関係者の間ではかなり知られてきています。

福島県東部に連なる阿武隈山系に風力発電所を造るという構想もあります。東京電力の送電線容量がかなり余っているので、それを使って再生可能エネルギー由来での電力を東京に送るのです。阿武隈山地に１００本以上の風力発電機を建て、さらに太平洋沿岸にも同じく60本ほどを建て、それらを、福島第一、第二原発が使っていた送電線につなげて、電力を東京に送ろうという計画です。そのなかに会津電力の３本が加わるということで、今そのための仮事業者になっています。

また、現在、会津電力による太陽光発電所は会津地方に58カ所［２０１９年６月現在71カ所］、中通り地方に12カ所［２０１９年６月現在同じ］あります。あとで話しますが、私が所属する飯舘電力は会津電力ができた１年後の２０１４年９月に、飯舘村の農家が、やはり原発反対だけではなくて、何か自分たちでできることを始めようと、同様の趣旨で立ち上げた株式会社です。こちらの太陽光発電所は今26カ所稼働しています［２０１９年６月現在42カ所］。そのうちメガソーラー［１ＭＷ（メガワット）＝１０００ｋＷ（キロワット）以上の出力を持つ大規模な太陽光発電］は１カ所だけで、ほかは小規模分散型ということで50キロワットクラスです。50キロワットは太陽光［ソーラー］パネルが３００枚程度、一般家庭でいう15世帯分の規模の電力を賄える容量があり、それが域内に点在しています。50キロワット、３００坪［約０・１ヘクタール］の規模を超えると送電線への接続が難しくなるという制約［電気事業法での規制］があるので、あえて小規模のソーラーにしています。こうした取り組みのメリットは、各地域に小規模のものをたくさん造れば、非常用電源にも活用できたり、小さな

飯舘電力を立ち上げた小林稔さんを写真で紹介（写真：清水香子）

土地の有効利用にもつながったりすることです。先行事例としての会津電力雄国発電所〔福島県喜多方市熊倉町〕の太陽光発電所は、メガソーラーから始まりましたが、そのノウハウを使えば私たちにも電気を作ることができると実感させてくれるモデルとなっています。

エネルギー転換こそが自分たちの期待と希望

飯舘村の小林稔さん〔当時、肥育・稲作農家〕がこの雄国モデルを見て奮起し、２０１４年９月、仲間ら４人と出資者を募って飯舘電力を設立すると同時に、推されて社長に就任しました〔２０１８年10月、再び育牛に専念するため取締役会長に退く〕。

現在〔２０１８年2月現在〕、３年５カ月経ちますが、この会社は飯舘村の村民と商工会が出資してできました。今では福島にもたくさんのソーラーパネルが設置されていますが、多くは東京の資本家が資本を投じて造り、結局は利益を東京に持って行ってしまうという構図です。そのようななかで、自分たちが小さな株主になってやっているというのが私たちの取り組みです。

先ほどお話ししましたように、小規模分散型のソーラーが飯舘村のなかに点々としていますが、場所によってはソーラーシェアリング＊という、上が太陽光パネルで下が牧草などを栽培できる土地になっているところもあります。なぜそれができるかというと、植物は一定の光があれば、それ以上はいらないことが分かってきたからです。パネルの下は、ちゃんとトラクターが通れます。現在、日本では約1000カ所〔2019年1月現在、約1500カ所〕で農林水産省の許可を得てソーラーシェアリングが行なわれており、今後も増えていくことが予想されています。インターネットで「きぼうチャンネル」というところを検索していただければ、飯舘村だけでなく、他の地域での取り組みも見ることができます。

＊ソーラーシェアリングとは、農地を太陽光発電に生かす取り組みのこと。太陽光パネルによって農地にできる影の面積が約30％程度であれば、ほとんどの作物の栽培に支障がないとされている。その普及を目指し、2018年4月には一般社団法人ソーラーシェアリング推進連盟が設立された。脱原発と再生可能エネルギーの拡大とともに、耕作放棄地の再活用など、日本の農業が直面する課題の解決も視野に入れ、若手農業者の育成をはじめとして村の過疎化対策に取り組み始めている。

中国ではこのソーラーシェアリングをすごく進めていて、日本以上に発展しています。昨日のニュースでも取り上げられていましたが、メガソーラーシェアリングと言って、70メガワットというところもあるようです。これからもっともっと発展していく施設だと思います。太陽光パネルに対しては近年、各地で森林破壊だとか、反射光の悪影響だとかが問題視されているので、ソーラーシェアリングの取り組みは、その批判へのひとつの解決策にもなると思っています。

飯舘村の現在の景色は皆さんよくご覧になっていると思いますが、いまだに２３０万袋ものフレコンバッグが田畑に積み上げられて残っています。このフレコンバッグ置き場の土地の借り上げ代がショッキングで、１反歩、つまり３００坪［約０・１ヘクタール］17万円、お米を作る場合の30〜40倍もの借地料です。借り上げ当時２年でそれを退かすと言っていたのですが、７年経った今でも残されたままです。土地を１町歩［約１ヘクタール］持っている農家は年間１７０万円も入ってきてしまうので、何も言えなくなってしまうと言っていました。

福島の人たちが震災後非常にショックを受け続けるなか、一番被害を受けてきたのは声を上げられない弱い人たち、農業者とか子どもたちです。そのような人たちの苦しみはお金では癒せません。だから、エネルギー転換という話は、私たちにとっての希望や期待に結びつくものでなければならないと思うのです。

②有機農業での自立……大内督（二本松有機農業研究会会長）

大内　私たちは、来月［２０１８年３月］に許可が下りる予定のソーラーシェアリングを自分たちの圃場でやります〔認可日：同年3月26日。完成：同年8月〕。父が昭和53〔1978〕年に有機農業を始め、仲間づくりをして私たちの二本松有機農業研究会を作りました。

日本は高度経済成長期で、有機農業をやろうとした父は、すごい変人扱いをされて、ひとりではどうしても駄目だということで、会を立ち上げました。その当時私はまだ5歳くらいでした。ひもじいとまではいきませんでしたが、けっこう厳しい生活をしていました。子どものころはずいぶん農業を手伝わされたので、絶対農業は継がないと思っていたのですが、なぜか今ここにいます。父がどうせやるなら有機農業だと言って始めたものですが、それを継いで今の自分がいます。

有機農業はこれからだ、というときに原発事故が

2006年12月に有機農業推進法*ができました。そして世論もすごく有機農業に傾いていて、引く手あまたと言うか、作れば野菜も米も大豆も本当に売れているときでした。

*化学的に合成された肥料と農薬を使わず、遺伝子組み換え技術を利用しないことを基本とし、農業生産による環境負荷をできる限り減らした農業を、有機農業と定義。政府と自治体に対して、農業者が有機農業に取り組めるよう支援することを義務づけた。

安全な野菜と安全なエネルギーを届ける、と力強い大内督さん（写真：清水香子）

有機農業はこれからだ、というときの２０１１年3月11日、東日本大震災・原発事故による放射能汚染です。当時、私たちは本当にはどうしたらいいか分かりませんでした。迷っていたとき、今から40年前に変人扱いされながらも有機農業を始めた父が、ともかく種を播いてみないとその野菜がどうなるかは分からない、研究材料にでもなれば、それはそれでいいかもしれないと言って、その年の4月に再開したのです［大内さんの農場は二本松市中里、原発から約55キロにある］。でも、周りの有機農業者の仲間からは、汚染された土地でいくら作っても、たとえ放射能が出なかったとしても、今、有機農業はありえない、と言われたりもしました。仲間たちも、ここで有機農業をやるのは、今はやはり無理なのかなと、本当に悩んで農業をやめた方もいるし、移住した方もいます。

残った人間として何ができるかと言ったら、ともかく収穫した作物の放射能を測り、それを消費者の方に示して選んでもらうしか、方法がなかったのです。買ってください、とは言えませんでした。相手に納得してもらい買っていただくということで頑張ってきました。事故以前に私が出荷物を配達していた家は１００軒ほどだったのですが、事故後は40軒くらいに減ってしまいました。他の団体［福島愛農会、大内さんも会員で野菜を出荷している］が卸している生協関係のものも、２００セット出荷していたのが１００セットを切ってしまいました。顔と顔が見える環境を作ってきただけに、やはり皆さん化学物質にすごく敏感な人たちばかりでしたから、これは仕方ないかなと思いました。それでも、うちらは40件残って、その人たちはうちらを信じてくれていたので、その人たちのために作ろうという気持ちが深くなっていきました。

自分たちも無知で、見て見ぬふりをしていたのではないか

そうは言ってもやはり、何でこうなったのか。東電［東京電力］や国だけのせいにしていいのか。先ほど会津電力の佐藤弥右衛門さんの話がありましたけれど、やはり自分たちも無知で、見て見ぬふりをしていたのではないかと、日が経つごとにそう思うようになったのです。

それで、うちらにも何かできないかなと考えていたときに、APLA［「農を軸にした地域自立」を目指すNPO法人］さんと一緒に、2012年に「福島100年未来塾」という講座を6回開くことになりました。電力を人任せにしていたことを反省し、私たちに何ができるかを考えました。私たちの場合はこうしてエネルギー事業に取り組み始めたわけです。ただ夏のかき入れどきはどうしても忙しい。その年の冬、農閑期になって、ようやくその話が盛り上がります。APLAさん、JIM-NETさん、アーユスさんがいっぱい支援してくれていたので、やはりやらなければいけないと思いました。

当時はまだ、福島県が「2040年までに再生可能エネルギー100％」という目標を宣言している割には、大手資本ばかりがメガソーラーを造ったりして、そういうことでしか再生可能エネルギーが進んでいないのが現状でした。小規模分散型の、福島県内の人たちの手で作るエネルギーは

少なかったのです。

誰も関心を持たないのでは、結局はエネルギーを人任せにしてしまった原発の流れと同じになってしまう。だから、自分たちがやらなければいけないと。原発事故後は耕作放棄地が増えてしまって、［農作物を］作っていたとしても、ただじいちゃん、ばあちゃんがうるさいから、と言って作っているような形がけっこう多かったのです。

耕作放棄地が増えていったのは、原発事故のために、作っても売れないし、売れても安いし、放射能も怖いから、結局作らないという流れになったからです。

「安全な野菜と安全なエネルギーを届けます！」

そこで考え出されたのが、耕作放棄地を利用してエネルギー用の作物を育て、バイオマス［本書104頁参照］ガス発電をやるという計画です。バイオマスガス発電から出た液肥を肥料にすること、これが循環型農業を目指す有機農家にとっては一番だ、ということになったのです。ＡＰＬＡさんやアーユスさんの支援を受けて、仲間の安田寛見さん［二本松有機農業研究会］はドイツにまで勉強しに行ってくれました。

しかし、バイオマスガス発電施設を造ったものの、ただ発電するだけではだめです。発電以外に発生した熱を利用しないとエネルギー効率が悪く、ランニングコストを考えると、うちらだけでは手に負えないことが分かってきました。

そういうことで、そこから新たに始まったのが営農型発電、冒頭でお話したソーラーシェアリングの取り組みです。キャッチフレーズは「安全な野菜と安全なエネルギーを届けます！」です。

ただ、農地を守るための農地法というものがあり、それがすごく手ごわくて、とにかく県に食い下がって、来月にはなんとか許可が下りる予定です。できるだけ自分たちの手で安く機器を設置しようとしています。そのためのボランティアも募集しています。それならと、ＡＰＬＡさん、ＪＩＭ－ＮＥＴさん、アーユスさんも応援してくれることになり、募金もいただきました。

＊日本の農業生産を保護する目的で制定された法律が農地法で、農地の自由な処分行為を規制し、農地の乱開発等を防止している。農地の売却、賃貸、そして農地以外への転用する行為も原則として禁止されている。ここでは、農地をソーラーシェアリングに使うための許可も簡単には得られないということ。

「１枚当たり７０００円の『太陽光パネル・サポーター』になってください」ということで募ったら、なんと１１０枚分の応募がありました。うちらは50キロワットの発電所を造る予定で、それにはパネル［一般の３分の１の面積の細長い製品］が９９０枚くらい必要です。まだまだ足りませんので、銀行から融資を受けることになっています。皆さまのご協力もお願いしたいと思っています。

③市民の立場から……木村真三（獨協医科大学准教授・放射線衛生学者）

チェルノブイリで起きたことは福島でも起きている

木村　このあとお話くださる農民連［福島県農民運動全国連合会］会長の根本敬さんは、どうしてもチェルノブイリを視察したいということで、昨年［２０１７年］９月、私と一緒にウクライナを訪れました。

学者としての精力的な活動を熱く語る木村真三さん（写真：清水香子）

私はウクライナに17年間通い、専門家との共同研究や高濃度放射能汚染地域での住民調査などを行なってきました。10年前からは、ウクライナの首都キエフを起点として二重生活を送っております。ウクライナの汚染地域を訪ね、農業のあり方、そしてその立ち位置をどうするのか、ということをやってきました。福島でも報告会を開いたのですが、チェルノブイリ、ウクライナで起きたことはすでに福島でも起きています。ウクライナの現在は福島の未来なのです。

今後そうならないようにするために、何かをしようということで、20年間にわたり30キロゾーン［原発から半径30キロメートル圏内］のなかでゾーン内ガイドをしているフランチュク・セルゲイさんを近々福島に招いて、トークセッションを行なう予定です［２０１８年3月18日、福島県飯舘村の飯舘村交流センター「ふれ愛館」にて開催」。

またフランチュク・セルゲイさんの招聘計画をきっかけに、市民団体「原発ゼロ国際連帯準備委員会福島」という会も立ち上げました。私は普段口には出しませんが、聞かれれば脱原発ではなく、もともと反原発です。今回このような団体を立ち上げてやっていこうという話になり、福島の民意、皆さんの気持ちというものを含めて、私が代表をすることになりました。

今、二本松有機農業研究会の方がおっしゃいましたが、土地を離れる人たちと、土地から離れられない人たちは、別々の立ち位置があって、それぞれ両方受け入れていかなければならない状況です。そのような人たちにどうやってわれわれがフィードバックしていくかを、学者としてだけではなく市民の立場としてやっていきたい、というのが私の考えです。

今お伝えしたトークセッションは来月3月18日に飯舘村で開催されますが、そのあとウクライナと福島の交流会を「高齢者の終の住処を考える」というテーマで行ないます。3月20日には二本松で、ここは浪江町から避難してこられた方々の施設がいっぱいあるので、浪江の人たちも含めて、どういうあり方があるのかということを考えます。フランチュク・セルゲイさんを招いての最終イベントとなる3月24日には、東京工科大学で行なわれる第88回日本衛生学会の学術総会の市民講座［シンポジウム「原発事故被災地からの報告『高齢者の終の住処』」座長：木村真三］のなかで、福島のこれからについてお話する予定です。

④脱原発の旗のもとで……根本敬（さとし）（福島県農民運動全国連合会［農民連］会長）

汚染土が日本中に

根本　日本が脱原発をきちんと決意して、再生可能エネルギーの社会をどうやって作っていくか、そのビジョンがまったくありません。希望は、先日、外務省内の有識者会議が外務大臣に対して、このままでは日本は世界の孤児になってしまうという提言を行なったことです。

脱原発の旗のもとでの再生可能エネルギーを、と根本敬さん（写真：枝木美香）

　われわれが今びっくりしているのは、除染土や汚染土*を日本中にばらまこうとしている動きです。**中間貯蔵施設ではとても保管しきれないというのがその理由です。例えば、飯舘村の長泥地区、あるいは二本松の原セ（はらせ）地区で行なわれようとしている工事です。原セ地区では、たった長さ200メートル［幅3メートル］ほどの道路の床材に、除染土を敷き詰め、その上にアスファルトを敷くというものです。普通にやれば260万円くらいで済む舗装工事が、この場合には3億5000万円にもなるのです。***そんなやり方を許し続ければ、汚染土はすべてそういった土木事業の材料として日本中に使われていくのではないか。それを可能にしているのは、環境省が「安全」だと言っているからで、そう言い切ったために、どんどんそういう工事が進められようとしています。****だから市民が分からないうちに、あるいは地元住民も仕方ないだろうという気分にさせられて、地区全体が合意したかのような形になってしまっており、周りだけが一生懸命騒いでいるといった構図です。

＊福島原発事故以降、放出された放射線物質を含む土壌、あるいは除染のために取り除かれた土壌のこと。汚泥、草木、落ち葉なども含まれる。

＊＊放射性廃棄物の再利用の基準値は、3・11以前は1キログラム当たり100ベクレルだった。ところが環境省は2016年6月、同8000ベクレル以下の土については公共事業に使用できることを決めた。さらに2018年6月には、除染土の再利用に関する基本方針に、新たな用途先として、園芸作物などを植える農地の造成も追加した。この措置は、食用作物の農地は想定せず、園芸作物に使う場合の除染土は最終的に厚さ50センチ以上の別の土で覆う（共同通信、2018年6月1日）という前提が付いているものの、住民の安全と健康を無視した恐るべき基準緩和といえる。

＊＊＊環境省が「除染土再利用実証事業」として計画。畑に面した道路を掘削し、80数センチの除染土を埋め、その上に汚染されていない土を厚さ約50センチかぶせ、アスファルトで舗装するというもの。環境省は2017年12月に二本松原セ地区全体に回覧板で計画を示し、業者と3億5208万円で契約を結んだ。住民は反対の声を上げ始め、2018年4月26日には、福島農民連による環境省との交渉が行なわれた。5月には事業中止を求める約5000人分の署名が環境省に提出され、6月25日、環境省は二本松市長に実質撤回を伝えた。

＊＊＊＊飯舘村長泥地区は、多くの放射性物質が降り注ぎながら避難指示が遅れ、今も帰郷が叶わない帰還困難区域に指定されている。環境省は2018年6月4日、長泥地区において除染によって生じた土を農地造成に使う実証試験（2018～2019年度）を秋ごろに着手する見込みだと明らかにし、受注業者を募る企画競争を公示した。計画では、2018年度に村内の一時保管場所から、1キログラム当たりの放射性セシウム濃度が平均値で2000～3000ベクレル程度と推定される除染土約3万立方メートルを長泥地区に運び込む。農地造成に使う除染土は1キログラム当たり5000ベクレル以下（共同通信、2018年6月4日）。

木村　実際には、21軒あるその地区［原セ地区］で、同意した家は9軒だけですからね。

再生可能エネルギー補助金と脱原発

根本　この問題についても今後もきちんと進めていきますが、この間住民会議を開いてきてさらに驚いていることがあります。とんでもないことが起こっているんです。再生可能エネルギーをやっているさまざまな人たちと議論していて感じるのは、国・県が主導する大規模な再生可能エネルギー事業への補助金が、脱原発を後景に置きやすくさせているということです。補助金を得るためには脱原発はちょっと声をひそめておこう、まずは再生可能エネルギーの補助金を取りに行こうとなるので、われわれとしては、はっきりと原発ゼロ、脱原発の旗を掲げて、そのうえで再生可能エネルギーを求めていかないといけません。そうしないと、脱原発の流れと再生可能エネルギーの推進との間に分断が起きかねないのです。そこは慎重に進めていかなければならないと思います。どんな状況であれ、脱原発の旗は降ろさずに、どうやって補助金を得ながら再生可能エネルギーを進めていくのかが基本ではないでしょうか。そうでなければ、再生可能エネルギーへの取り組み自体もしぼんでしまうのではないかと思っています。

2　ミランダさんからの発言

◎ミランダさんはまず、脱原発倫理委員会の話［本書第1章参照］をしたあと、ドイツ各地で行なわれているエネルギー転換の取り組みについて紹介しました。以下はその発言の概要です。

地球温暖化問題で、ドイツは2050年までに温室効果ガスの排出を1990年比で80〜95％削減するという目標を立てています。石炭、石油、天然ガスは全部使えなくなります。残りは自然エネルギー［＝再生可能エネルギー］。ドイツの目標は2050年までに電力の少なくとも80％は自然エネルギーから作ることです。電力以外で賄う運輸、暖房も可能な限り自然エネルギーから作って、最終的にはエネルギー総消費量の60％は自然エネルギー由来にするのが目標です。

自然エネルギーの仕事の急増

それを達成するためには、日本でも考えていると思いますが、まず省エネ［あるいはエネルギー効率化］です。省エネが何よりも大切。太陽光パネルを造っても風力発電を造っても、お金もかかるし土地も必要だし、電線も必要になりますから、なるべく需要を少なくして、その上に産業や生活の基盤である新しいインフラを造ります。どのようにして、そのように社会を持っていけばいいのか。

ひとつは、ドイツでは自然エネルギーの将来はジョブス、つまり仕事の将来と思われていて、実際に雇用が生み出されています。ドイツ政府の統計による最近の予測では、近い将来、自然エネルギーの分野で35万人［２０１６年実績：33万８０００人］、エネルギー効率の分野で80万人［２０２０年には72万７０００人と予測］の雇用を生み出し、合わせると自動車産業規模の雇用と同じくらいになるでしょう。２０３０年までには自然エネルギー関連の仕事がそれを上回るはずと考えられています。

新しい産業革命

それから非常に大切なのは地域の動きですが、ドイツではさまざまなパイオニアの町が目に入ってきます。自然エネルギー１００％の地域、あるいはそこに向かってクリエイティブ［創造的］な取り組みをしている地域がいくつかあるのです。どうして地域レベルでのエネルギー転換に惹かれるかというと、これから新しい産業革命が来て、これまでの産業では競争力を維持できなくなると思っているからです。だから私も次の産業革命を支えたいと思っています。「緑の成長」とでも言うべきものこそが、もっと美しい国を作れるのです。昔の「汚い」産業を正しい方向に向かわせて循環型社会を作り出せば、今よりもかなり合理的な制度がよりよく機能するようになっていくはずです。

今ですと、他の国からいろいろなエネルギーや、資源を買ったりしてモノを作っています。そうするとドイツのお金がイランに行ったり、イラクに行ったり、アメリカに行ったりします。それよりも、お金を自分の地域や国に、あるいは近場のヨーロッパに投資した方が合理的ではないでしょうか。

シェーナウという小さな町がドイツ南西部、シュヴァルツヴァルト〔黒い森〕地域にあります。そこに住むウルスラ・スラデックさん、マイケル・スラデックさん夫妻は、ドイツでは地域レベルで再生可能エネルギーを推進した先駆者として知られています〔本書60頁参照〕。直接企業と闘って、電力関連の法律を変えるためにがんばりました。そうして自分たちが作った自然エネルギー由来の電気を電線に入れられるようにし、それを売る自然エネルギー会社を作りました。規模を広げて、今ではドイツ全体でたぶん23万人くらいのお客さんがいると思います。

ベルリンのすぐ近くにフェルトハイムという、わずか人口130人ほどの村があり、ここはドイツで初めて自然エネルギー100%の「エネルギー自給村」になりました。*

*実現したのは2010年。村で栽培するトウモロコシや穀物から出た有機ごみを燃料とするバイオガス（有機ごみを発酵させて作ったガス）装置や、43基の風力タービン、45ヘクタールのソーラーファーム（農業と発電事業を両立させるソーラーシェアリングの事業化）により、電力や温水を自給するだけでなく、村独自の送電網を持つ、まさに「持続(サステイナブル)可能な村」として現在ではドイツ国内で最も重要なエコツーリズム拠点のひとつとなっている。

世界中から多くの視察団が訪れますが、住んでいる方々は皆誇りを持って、風力、太陽光パネル、バイオマスを紹介してくれます。今はもう自給率150％で、作られたエネルギーはほかの地域にも売られています。

地域にエネルギー協同組合

ドイツには太陽光発電が強い地域と風力発電が強い地域が、自然条件に応じてあちこちに点在しています。現在のドイツに見られる非常に面白い傾向というのは、地域単位で「エネルギー協同組合」が作られていることです。2000年にドイツは再生可能エネルギー法を作って、「固定価格買取制度」（ＦＩＴ）を導入しました。この制度を使って自然エネルギーに投資すると、利益が得られます。これが地域の発展にとっては非常に良い効果を生むことになりました。その利益で各地域にエネルギー協同組合が作られ、地域に仕事を持ってきたのです。それによって若い人も地域に呼び寄せることができました。だから、自然エネルギーに投資するということはエネルギーの話だけではなくて、地域の生活の未来の話にもなっているのです。ドイツでは今、1000くらいのエネルギー協同組合が作られています。

ドイツでは自然エネルギーに関する世論調査を毎年行なっていますが、直近の調査では66％の人々が「非常に大切」、27％が「大切」と自然エネルギーを評価していて、「不要」と答えたのはわずか1％です。ほとんど皆が自然エネルギー計画はいいことだと思っているのです。ＦＩＴのもとでは、太陽光パネルを設置すると、20年間、固定価格で電気を売ることができます。ドイツは日本ほど売電価格は高くはないですが、２０１１年［の福島の事故］以降、太陽光パネルへの投資が非常に盛んになりました。その後は［ＦＩＴのために電気料金が］高くなり過ぎているという議論が起こりました。*石炭や原子力を推進していた人たちが、けっこうそういう意見を持ち出して、自分たちの主張を有利にしようとしたのです。その結果、ＦＩＴの公定価格は引き下げられましたが、再生可能エネルギーの価格の方は非常に安くなってきたため、その成長が続いています。

＊電気事業者が買い取りに要した費用は、電気料金に上乗せされ、使用電力に比例して国民が負担する。

これまでの価格で大丈夫と67％の人たちが言っています。もっと負担してもいいという人もいます。ドイツ語で「エネルギーヴェンデ」(Energiewende)、つまり「エネルギー転換」がどうしていいかというと、エネルギーを輸入する必要がなく、安全で、環境にも健康にもよく、仕事にもつながるからです。

エネルギー革命はドイツの将来の基本

ドイツで私がいつも言っているのは、このエネルギー革命はドイツの将来の基本だということです。ドイツが将来も競争力を身につけていたいなら、このエネルギー革命を支えるための新しいアイディアが求められます。そのためには制度面での充実が必要です。というのも、自然エネルギーとは、太陽光パネルとか風力、地熱そのものだけを指すのではなく、それらを取り巻く制度のことでもあるからです。自然エネルギーが増えれば、それをどうやって各家庭単位で確保するかなど、課題はいろいろな領域に発展していきます。それらをクリアしていくには常に新しい制度を作り出していかなければならないのです。

もうひとつ、これと関連して私が最近ドイツでいつも言うことがあります。私のひとつの間違いは、自然エネルギーの話だけしていたということです。エネルギー転換にすごく興味を持っている若い人にアピールするには、それだけでは不十分であることに気づきました。自然エネルギーはＦＩＴとの関係で広がる大切なディベロプメント［発展］でもあったのです。そのこともこれからは同時に示していきたい。それから、ドイツを見ていて感じるのは、石炭をよく使っていた地域や鉄を作っていた地域でも、やはり自分たちの将来を心配しているということです。そのような地域に対しても、どうすればエネルギー転換によって新しい町を創れるのか、新しいコンセプトを作れるのかを示していくことが大事です。

ベルリンは３５０万人の都市ですが、ここでは連邦政府の目標と同様、温室効果ガスを２０５０年までに80％から95％削減することを目指しています。達成するには、やはり再生可能エネルギーを自分たちで作り、周りの地域とコラボレーション［共同］してがんばらなくてはいけません。ベルリンでやっていることも、また私が住んでいるミュンヘンでやっていることも面白いですよ。バイオガス［有機ごみを発酵させて作ったガス。本書105頁参照］の会社を新たに立ち上げ、ごみ出しのときにバイオマスの原料になるものを全部集めて、そこからバイオガスを作って売っているのです。

私は大学の教授で、次世代の未来を考えるのは私の責任だと思っています。再生可能エネルギー、エネルギーの効率化、環境に優しいライフスタイル、これらの重要性を理解するための、若者向けの教育開発を進めることが重要だと考えています。実際、11～13歳の生徒に気候変動や再生可能エネルギー、環境に優しいライフスタイルを教える教育プログラムの開発に取り組む同僚の支援も行ないました。この教育プログラムによって、若者たちは自分の将来のライフスタイルや新しい種類の仕事についても考えることができるようになりました。

3　ミランダさんとのディスカッション

自然エネルギーの地域間の競い合いとコラボレーション

参加者（男性）　ドイツでは地域ごとの特徴をいろいろ活かして、いい意味での競争環境が整っているように感じました。そうした競争環境の雰囲気が出てくるひとつの要因は、［連邦政府制を取るドイ

熱心にメモを取りながら活発に語り合う（写真：枝木美香）

ツは」もともと州ごとの独立性が高く、その政治的歴史的背景がいい意味でのライバル意識を生み出してきたからではないかと勝手に思っているのですが、そのような競争環境は意識的に作り出されているのでしょうか。

ミランダ　国レベルで進められている自然エネルギー計画があります。一方で、地域で進められている自然エネルギー計画もあります。地域の自然エネルギー計画の目標数を合計すると、国の目標数の２・５倍を上回っています。このように本当に競争的にやっているのですが、地域同士がもっとコラボレーション〔共同〕する必要もあります。例えば次のようにです。

北部にあるベルリンは気候変動抑制の計画を立てます。目標を達成するためには、周りの風力の多い地域と協力する必要があります。南にあるミュンヘンは二酸化炭素（CO_2）中立〔CO_2の排出と吸収を差し引きゼロにすること〕を目指していますが、それを達成するには、周りの地域から再生可能エネルギーを取り寄せる必要があります。このように共同計画が必要になってくるのです。あるいは、風力発電が盛んな北部と太陽光の多い南部がエネルギー交換をすると、いろいろと効率的なシステムが実現できます。だからコラボレーションすることが是非とも必要になるのです。

どれくらい自然エネルギーを作るかなど、競争はいろいろなレベルで行なわれています。もっと面白いのは、それによって個々の地域の計画が作り出されているということです。そしてその計画を、地球温暖化問題と脱原発と自然エネルギーのそれぞれの観点から、総合的に見て進めていくのです。例えば、太陽光パネルで発電した電気を、電気自動車のバッテリーを活用しながらどうやって効率的に使っていくか、あるいは、地熱をどうやってうまく利用して使うか、などという話になります。そのようにして、ある地域でひとつのアイディアが実践されたら、他の地域もそれを基にしてアイディアを深め、自分のところでもやるわけです。ドイツでよく行なわれているのが、そういうレベルでの町あるいは地域間の集まりで、このような交流はとても大切だと思います。

原発を止めるプロセス——脱原発と電力会社

参加者（男性）　脱原発倫理委員会［の提言を受けてドイツ政府］が決めたことは素晴らしく、どうして日本ではそれができないのかと思うのです。原子力発電所は民間企業が所有しています。ドイツでも同じだと思いますが、ドイツでは国の方針として原発を停止しました。そのことに対して、企業側はどういう対応だったのでしょうか。企業側に同意を促す政策なりプロセスが何かあったのですか。日本ですと電源三法*という法律によって、原子力があるから［原発立地自治体に］お金が落ちるという仕組みがあって、原発がなくなるとお金が落ちなくなるから、いやでも［原発稼働に］賛成するという構図になっています。ドイツと日本の違い、ドイツが原発を止めるに際して取られた企業側の対応について教えてください。

＊電源開発を促進するための法律。特に危険を伴う原発建設などへの反対を押さえるための地方自治体への交付金、補助金が電源三法交付金である。

ミランダ　日本との大きな違いは、もともと原発立地地域には政府からお金は降りないということです。ドイツにはそういう補助金制度はありません。もちろん原発ができて、その立地地域に民間が投資したということはあります。でも制度上、政府がそれをすることはできないのです。そこがドイツと日本の大きな差だと思います。

ドイツだと国と電力会社との間に、原発の稼働は40年という契約がありました。その契約が終わるときに停止するはずだったのですが、２０１１年３月に７基の原発を政府の方針で早めに停止したということで、その後裁判となりました。４つの大きな電力会社が政府を訴えたのです。メルケル政権はその半年前の２０１０年９月に、契約上２０２０年ごろまでに全廃する予定だった国内の原発の運転を平均12年延長するという許可を出していました。しかし２０１１年３月、福島の大事故直後に、その計画を一気に変えました。その半年の間に、この４つの会社は延長のための投資をしてきた、だから損をしたと。これが訴訟の理由です。最近、「ドイツ政府は違法的に早めに原発を停止した」という判決が出されて、私たち国民はその賠償金を、けっこう高い税金として払わなければならなくなりました。

参加者（男性）　国民の大多数はそれを「良し」としているのでしょうか。

ミランダ　国民の80％から90％は原子力に反対。反対だけじゃなくて大嫌いなのです。原発を使っている大きな電力会社に対して、大変悪い感情を持っています。だからその会社からの電気は買わなくなっているのです。ドイツ人は賠償金として税金からお金を払うのは、いいとは思っていませんけれど、それよりも脱原発がしたいのです。だから裁判になってすごいコストがかかっても、まあ仕方ないと思っています。結果的には、その大きな会社の経営はけっこうダメになってきているのが実情です。

環境との調和と規制

参加者（男性）　ドイツを見に行って、広い土地にソーラーパネルがいっぱい広がっているのを見てきたのですが、土地利用という面での問題はないのですか。

ミランダ　ドイツでは日本ほどメガソーラー〔大規模な太陽光発電〕はありません。私が名古屋に着いて、窓から見て、ちょっと不思議に思ったのは、メガソーラーはやっていても、大きな会社などの建物の屋根にはパネルがなかったことです。これは良くないと思いました。なぜ屋根の上から始めないのでしょうか。名古屋だと本当に大きな建物がたくさん見られますが、その上には何もなくて、その隣の田んぼの上にメガソーラーがあるのです。これはプランニング〔計画〕の不足ではないかと思いました。福島の魅力のひとつは観光地ということ。本当にきれいな山がたくさんあって、そういうところにメガソーラーを入れ過ぎるのは景観的にもよくありません。土地が汚れていて良くない場所であれば、ドイツでも仕方なくそれを設置しているところはあります。昔のソ連の軍事基地の跡地など、汚れているところにメガソーラーを造っています。でも農業で使える土地には取り付けないようにしています。日本もそういうところに気をつけないと貴重な農地が減ってしまいます。きちんと計画を練って、どうしてそこにメガソーラーを造る必要があるのか、それを精査する必要があると思います。

参加者（男性）　今福島では再生可能エネルギーをどんどん進めています。県外の資本が入ってきて、ほぼ青田買い状態で、次々に作られています。環境に優しい自然エネルギーと言うけれども、見える山がすべて太陽光パネルに覆われたら気が滅入ります。ドイツには、自然との調和とか、地域外からの資本参入の規制とか、環境への影響に対する規制とか、そういう規制措置とか法律はあるのですか。

ミランダ　あります。しかも地域によって違います。私が住んでいるドイツ南部のバイエルン州ではあまり風力発電機の姿は見えません。どうしてかというと、風車の高さ［現在では100メートル規模のものが主流］の10倍以上の距離［陸上風力の風車と住宅地域との最低離隔距離］がないと設置する許可をもらえないからです。私が前に住んでいたベルリンの周りのブランデンブルク州［ドイツ北部］であれば、200メートルの距離で大丈夫でした。随分違います。北部は風力発電をしやすい風が多いという条件下にあります。それで、風力発電機はバイエルン州にはあまりなく、ブランデンブルク州にはたくさんあるのです。ドイツ環境諮問委員会の助言によって、ドイツの総土地面積の2％以上は自然エネルギー用に使ってはいけないことになっています。言うまでもありませんが、どこでも造れるわけではなく、風力の場合は風の条件などのいいところに契約して造るのです。

日本はやはりうまくやらないと、立地住民から反対の声が高くなってくるでしょう。ロンドンでは最近そういう風力パーク［風力発電施設］に反対するグループが多くなってきています。自分の住む近くに風力パークができると、持ち家の価値が落ちてしまう。それで反対するのです。バイエルンの方はちょっと行き過ぎていると思います。10倍の距離だとほとんど造れなくなります。5倍くらいならいいかもしれません。いずれにしても計画づくりというのが非常に大切で、そうでないとすぐに反対の声が出てきます。

オーナーシップの提供

ミランダ　ドイツが非常に時間をかけて学んだ教訓は、最初のうちに周りの住民の意見をあまり考えずに造ろうとすれば、必ずうまくいかなくなるということでした。今やっているのは、風力パークの計画を進めるときには、できるだけその地域の住民を招待し、その地域の方々にもオーナーシップ〔所有権〕の提供を約束することです。例えば、それを運営する会社が比較的大きなところであれば、風力発電の利益の50％をその地域に住む住民に提供する。条件によっては１００％その地域の方々のものにする。そうすると地域の人たちも、自分のインフラ〔設備〕に対して良く考えるようになってきます。以前はただ音がうるさかっただけの風力〔発電機〕が、今度は、「あ、私の風力！」になっていくのです。

参加者（男性）　そうなると、投資としてどうなのでしょうか。

ミランダ　運営会社としては、ここに風力パークを造りたいのですが、30％のインベストメント

〔投資〕をするのでどうでしょうか、などと具体的な提案をするのです。

難しいのは、ドイツでは今まで陸上風力発電を中心にやってきましたが、最近はそれを海上に造ろうとしていることです。海上風力で使われるタービンは、1基だけで100万ユーロ〔約1億3000万円〕くらいの値段になります。だから海上になると、造れるのは大企業になってしまいます。今ドイツはすごく海上風力に力を入れています。海上だと個人の庭の問題（NIMBY〔社会的に必要な事業であることは認めるが、自分の居住地域で行なわれることには反対する姿勢を示す表現〕）にはなりませんし、エネルギー効率も高いので都合がよいのです。しかし新たな送電線が必要になってきて、それがまたコスト高につながります。すると、またオーナーシップが大企業に行ってしまいます。エネルギーデモクラシー〔民主主義〕というものは、今まではけっこう市民が地域的にやってきたのですが、将来はもっと中央のものになってしまう可能性があり、それは問題です。

エネルギーコスト全体での低減

参加者（女性）ドイツの近代史を考えると、移民がものすごく多く、格差もあって、現在でも貧しい家庭では高い電気料金は払えないとか、払いたくないとか、そういうことがあるかと思うのですが、自然エネルギーの普及に向けても、収入格差によって負担の違いはあるのですか。

ミランダ　そのためのプログラムもいろいろあります。例えば、低収入の家庭にはＬＥＤの電球をプレゼントします。ただし、提供を受けるためには、自分の家のデバイス［装置、機器］が持つ1時間当たりの効率を調べなければなりません。だいたいどんな家でも、デバイスを少し変えるだけでエネルギー使用量を減らすことができるのです。そういうプログラムをはじめとして、ドイツでは、エネルギーコストをセクト［部分］ではなく、全体で考えます。ドイツの場合、エネルギーコスト全体で一番多くを占めているのは、自動車用燃料で39％くらい、電気が25％ほどです。

エネルギーコストが高すぎるという話をする場合、まずエネルギーを一番たくさん使っているところから見ます。家のなかでどこが節電できるかと。電気のコストはもちろんファクター［一要素］です。ドイツでは今、支払っているエネルギー全体の料金は5年前よりも低い。なぜかというと、エネルギー効率を高めながら自然エネルギーを作っているからです。これによって、家で払っているエネルギー全体のコストは少し下がりました。もちろん世界的にガソリン価格が下がったこともありますが。

若者、子どもたちとの取り組み

参加者（女性）　今日のお話ですと、再生可能エネルギーの分野では、ＦＩＴとイノベーション［技術革新］を組み合わせて、これからすごく面白い仕事が出てきますよ、というアピールの仕方で、仕事と絡めて若者を惹きつけようとしている印象を受けました。それはミランダさんのところだけなのか、それともドイツでは全体的にそうなっているのでしょうか。

ミランダ　私もたまにほかの会に参加するのですが、とても楽しいです。私がすごく楽しいと思ったレクチャー〔講義〕は、25歳のスイスの学生が担当していました。先生と一緒にソーラーカーを造っていて、その車で旅をしたという内容のレクチャーです。彼はとても上手に自分の経験をほかの学生たちに話してくれました。ソーラーカーはこうやって造るとか、ソーラーカーでいろいろな国をドライブして、現地の人たちに、こう受け取られたとか、当地の子どもたちがそれを見る目はキラキラと輝いていたとか、そのような話です。

私たちのプログラムでも、例えばごみとして捨てられた空きビン、空き缶、牛乳パックやカートン〔厚紙製の箱〕、あるいは洋服などを洗って持ってきて、テーブルの真んなかに置いて、参加した子どもたちに、これを素材にして自由に何かを作ってくださいというのがあります。子どもたちはそれを見て、用意されたハサミやカッターなどの日用道具を手にすると、夢中になってリサイクリングしていきます。8時間あるプログラムだと、もう、すごいものを作るのです。本当にクリエイティブです。そこで子どもたちは、捨てられていたごみはごみでなく、何かに使える素材、資源だということを実感するのです。その間、私たちは関連するいろいろなことを話題に取り上げて子どもたちと話すのですが、プログラムを終えると、子どもたちは本当にまたここ［大学］に来て学びたくなるようです。こうして将来どんな仕事が生まれてくるのかが見えてくるのです。

地方を豊かにする方策

参加者（男性）　私も地方に住んでいるので、ＦＩＴでドイツの地方が豊かになったというのはすごく印象的でした。ＦＩＴのほかにも豊かになる仕組み、政策的なものがあったからそうなったのでしょうか。ミランダさんは日本をよく見られていると思いますが、福島では、どのようにすればそのような形が作れるのか、もしアイディアがあれば教えください。

ミランダ　ＦＩＴができて、あちこちの屋上にソーラーパネルを付けたり、風力を入れたりする人たちが増えていきましたが、地球温暖化問題がじわじわと深刻化してくると、やはり地域ごとに計画を立てなければならないという考えが広がっていったと思います。今は自前の計画を持たない自治体はほとんどないと思います。自分の地域のノウハウ［必要な技術・知識］を生み出すために計画づくりを進めるのはいいことです。計画がないところには目標がありません。目標があるところには計画があるのです。

計画を立案するためにドイツでやっているのは、ステークホルダー［利害関係者］を呼んで、一緒にみんなで作っていくということです。
福島の話に戻しますと、まず自分たちは10年後、30年後、50年後の福島をどういう地域にしたいのか、それは農業に対してどういうインパクトがあるか、そういったことをみんなで考えて目標と計画を立て、それを進めるのです。私はミュンヘンに住んでいますが、ミュンヘンはビールの町です。ビール会社はけっこう電気を使いますが、現在は、電気が余っているときはビールを普段よりも冷やしておき、電気が足りないときには冷やす電気を使わないようにするという方法を取っています。それによって結果的には余剰電力を蓄電し、不足時には電力系統に電力を供給する働きをして、電力の安定供給に協力しているのです。いろいろな面白いアイディアは、みんなで一緒に考えるから生まれてくるのです。

参加者（男性）　ＦＩＴができる前から、そのような計画づくりがなされていたのですか。

ミランダ　あるところではやっていたと言えるかもしれません。例えば、フライブルク近郊のカイザーシュトゥールという村［本書45、61頁参照］が１９７３年に、自分たちの村には原子力はいらないと決めました。そうと決めたなら、フライブルクの人々は町としてどこからエネルギーを作るべきかを考え始めたのです。ＦＩＴはまだできていませんでしたが、町として自然エネルギーに投資することを決めました。フライブルクではこのような形で、地域のレベルでの計画づくりが始まったのです。最初は原発反対運動との関係でしたが、今はその上に地球温暖化問題が加わって、自然エネルギーの計画が進められているのです。

参加者（男性）　日本ではどのようにやったらうまくいくと思いますか。

ミランダ　私はこの10年間、日本の田舎をあちこち見てきたのですが、田舎が危ないと思います。田舎の価値が見えなくなってきています。日本は東京、大阪などに集中し過ぎています。もっといろいろなベース［基礎］が必要で、そこに投資し、そのベースからいろいろなスター［花形］を生み出していくといいのではないでしょうか。

　例えばここでしたら、地元郡山があって、その周りの地域とどうやってお互いに支え合うことができるのか、そのためには地域プランが必要ではないか、と。もちろんソーラーパネルもそのひとつにできます。でもそれだけでなく、ほかのことも考えないといけません。例えば先ほど大内さんが語ったバイオマス*の話はとても大切です。バイオ化すると農業そのものの将来が開かれます。バイオマスをやりながら隣に風力を少し入れる、太陽光を導入する。そうすると、また収入が入ってくるようになります。

＊バイオマスとは、生物資源（bio）の量（mass）を表す概念で、一般的には「再生可能な、生物由来の有機性資源で天然ガス等の化石資源を除いたもの」を指す。「廃棄物系バイオマス」は、家畜排泄物、食品廃棄物、下水汚泥などが挙げられ、「未利用バイオマス」は、稲わら・麦わら・もみ殻などが挙げられる。バイオマスから得られる自然エネルギーのことをバイオエネルギー（バイオマスエネルギー）と言う。バイオマスを、あるいはバイオマスを発酵させて作られたガス（バイオガス）などを燃焼することにより放出される二酸化炭素（CO_2）は、生物が大気中から吸収したCO_2であり、化石資源由来のエネルギーと違って、地球温暖化を引き起こす温室効果ガス（CO_2等）の排出削減に大きく貢献することができる。

それだけでは足りません。若い人をどうやって引きつけるか。そのためには、この地域に教育を受けられるカレッジ［学習の場］を造る、そういうサブプログラムを作るなどして、アイディアを立ち上げることも必要です。

大内（二本松有機農業研究会）　やはり農業だけでは、去年のように天候不順があると経営不順になりますから、安定させるためにも、エネルギー兼業農家という姿を目指しています。それで余ったお金で若者を呼んで、有機農業と自然エネルギーに関心をもってもらうことは、とても大事だと思うのです。理想はそこまで持って行きたいと思っています。

エネルギーの地産地消

自分たちで地域を再生する力をつける、と藤倉紀美子さん（写真：枝木美香）

参加者（藤倉紀美子さん）　私は二本松に住んでいる普通のおばちゃんなのですが、現在の二本松市は10年ほど前、市町村合併で４つの町と旧二本松市が合併してできた町です。ところが合併したあと過疎化が進み、そのことにすごく危機感を持っています。しかも原発事故によって耕作放棄地がすごく増えてきました。私はその一部を借りて畑をやっています。危機感は高まるばかりで、誰かがお金をくれるからやるのではなくて、住んでいる人が力をつける、自分たちで自分たちの町を、村を再生させる、そういう力をつけなければならないと思っています。そうした発想がないと、諦めて、楽な方へ楽な方へと流れていくような気がするのです。

たまたまこの間、東京のポレポレ東中野という映画館で『おだやかな革命』（渡辺智史監督、２０１７年２月上映）というドキュメンタリー映画を観てきました。映画のなかで、福島の飯舘電力や会津電力などが出ていました。私はまったく知らなくて観に行ったのですが、そこでは村の人たちが自分の住む地域のことをよく観察していて、そこをどうやって再生するのか、という視点で報告していました。例えば、今まで何十年も放置してきた森林を利用するとか、そのなかに小水力発電も入れるとか。

福島は放射能で森も汚染されているから、平地を除染していくら頑張っても、山の上から放射性物質が流れてきてしまうのです。だから、映画に出てくるような「力をつける人物」がいないと、実際は難しいのかなという思いがあります。一方、この間の二本松市長選挙で市長になった人が「エネルギーの地産地消」という言葉を口にしていました。私は、二本松市民が力をつけるには、この人が言った言葉しかないと思っているのですが、私もこの「エネルギーの地産地消」を噛み合わせながらやっていきたいと思っていて、二本松でもこの映画を上映したいと考えています。

原発を造るとお金が来るみたいな受け身の姿勢ではなくて、自分たちで力をつけていくためにはどうしたらいいのでしょうか。

佐藤（司会、ＪＩＭ－ＮＥＴ）「普通のおばさん」と言われましたけれど、普通のおばさんがそのようなことをおっしゃるのは希望だと思いました。［拍手］

個をつなぎ合って得意分野を活かす

木村（獨協医科大学）今のお話とミランダさんがおっしゃっていたお話を含めて、皆さんと考えていきたいのは、あまり電力なら電力、放射能なら放射能、農業なら農業などと固まらないで、ということです。〔縦割りでなく〕全部横にやっていかないと絶対やられてしまいます。放射能の専門家としてずっとやってきているのですが、そのなかで感じてきたのは、なぜこの国が電力で支えられているのか、原発で支えられているのか、その原点を考えないといけないということです。そのうえで、脱原発にしていくには、どういう取り組みが必要なのか。それから、お金のことばかりではいけないけれど、ミランダさんがおっしゃったように、地域の再生をどう図っていくのか。そういうことが大切だと思います。

日本の政府は逆行しています。何がというと、都市の集約化をして、地方をなくしていく流れを作っていることです。それはコミュニティをなくしていくことと同じです。そこに医療との関係が入ってきます。医療を専門にしている人間〔放射線衛生学者〕としても、そういったことを全部含めた考え方を示していかないと闘えないと思っています。

原発事故に対して、ずっと国の政策とは反対の意見を言い続けています。国の政策のなかにあるのは、人ではなく、被害者でもなくて、すべてが経済になってしまっている。でも、本当に大事なのは、伝統であったり文化であったり、人であったりなのです。人は財産です。そういうことをちゃんと考えてつなげていかなければ、まったく意味がありません。だから、皆さん立場は違いますが、違った立場の人たちと、個をつなぎ合って、それぞれの得意分野をみんなで活かし、推進していかないと、福島の再生、復興ではなく「再生」はないし、それはやはり、日本全体のエネルギー問題につなげていかないといけないと感じています。

参加者（男性）　今日の議論で、再生可能エネルギーをどう進めていくのか、という方向性は分かったのですが、日本が今ぶち当たっている壁というものは、現在進行形です。２０１１年の事故が起きた時点で、ドイツの人たちや脱原発倫理委員会などでは、日本の状況をどのように捉えていたのですか。また、ドイツから日本は今どういうふうに見えているのですか。

日本がドイツと一緒に脱原発を決めたらすごい

ミランダ　まず、ドイツ人は日本の事情をあまりよく知りませんが、ただ、日本がなぜ脱原発を決めないのかがドイツ人にはまったく理解できませんでした。私は、日本の人たちはとても技術に強い、だからドイツと一緒に脱原発を決めたらすごいと思っているのです。

日本の原発がいま5基〔２０２０年1月18日現在3原発6基。本書１５７頁参照〕しか動いてないことも、日本が事故後、短い間に電力を25％くらいカットしていたことも、一般のドイツ人にはあまり知られていません。ドイツで知られているのは、安倍首相が原発を続けたいと考えていることで、そのことはかなり批判されています。

日本人もドイツ人もお互いに学ぶ意識は高いものがあり、日本の市長さんなどがドイツに見学に行ったり、ドイツの人たちが逆に日本に来て、日本のことを勉強したりしています。そういう交流がこの5、6年で非常に多くなってきていて、お互いにとってとても良いことだと思っています。

アメリカからドイツに来ている方、あるいはスペインからドイツに来ている方、そういう方々との交流を通して、やはり新しいアイディアが私自身のなかにも入ってくるのが分かります。そのような交流をとにかく増やす必要があります。きのう私が福島で会った高校生たち［本書第3章参照］の話も、ああ、いいなと思っていて、やっぱり高校生たちが自分の目を大きくして、互いに交流している姿を見ていると、これから彼女たちも、新しいいろいろなアイディアを社会に提供してくれるだろうと確信しました。

草の根からアイディアを出す

参加者（元市役所職員・男性）　私は二本松市役所に勤めていました。地域を見てみると、メガソーラーがいろいろなところに乱立していたりして、その点では自然エネルギーの価値はたしかに高まっていると感じます。ですが、ちょっと考えなくてはいけないのは、町全体を考えた景観だとか、土地利用だとか、町づくりだとか、ミランダさんが言われたように、きちんと計画立てて行なわないと目標が見失われ、あとから反省点が出てくるのではないかということです。計画づくりは地域の再生においてもとても大切ではないかと思います。

ミランダ　私は先日、ドイツでそのような町づくり計画の会合に招待されました。私がいるバイエルン州は、〔日本の〕県みたいなところですが、ここの自治体の職員さんが週末にかけて州内の８つの地域に足を運び、お母さんたち、ティーンエイジャー、お年寄りなど40～50人の方々に声をかけて集まってもらった会です。２０３０年にはどんな町にしたいか、そのためにはどんな目標を立て、計画づくりを進めればよいか、などを話し合うための会合です。小さなグループに分かれ、運輸制度、自然、エネルギーなどさまざまな角度からアイディアを出し合いました。そしてこうして出来上がった市民たちの町づくり計画を、全部まとめて地元の政治家たちに提供したのです。草の根からアイディアが出されれば、市民の代表である議員たちはそれを聞くしかありません。日本でもできることだと思います。

佐藤（司会）　ドイツ脱原発倫理委員会のミランダさんに来ていただいて本当に良かったと思います。日本では倫理という言葉が過去の古びた言葉として捉えられがちで、経済が第一ということになってしまいました。私たちが海外支援をやっていて感じるのは、国益という言葉が日本中にあふれていて、その言葉を出せば、何でも許されるような社会になっていることです。

イラク戦争のときも、戦争を支持するという過ちが、国益のためという理由で、すぐ正当化されてしまいました。こうした構造は、倫理という言葉が欠けているために出来上がってしまったのではないかと考えます。やはり今大切なのは倫理ではないでしょうか。私たちはもう一度そこに戻って、いろいろ考えていかなければならないのだと思います。

この企画に参加して、編者が強く印象づけられたのは、被害地（原発事故は人災であるという意味で、被災地でなく被害地という言葉が実態に合っている）に踏みとどまって、何とか故郷を再生させようと、諦めることなく、真摯に奮闘している方々の姿でした。どの方々の話にも、心打たれ、頭の下がる思いがしました。そうして、その真摯さ、力強さにこそ希望と展望があるのだと思いました。

しかしその一方で、福島そして福島の農業再建には厳しい現実がいまだに横たわっており、ディスカッションに参加した方々をはじめ、福島の人々の奮闘はそのようななかでの活動であることも確認しておきたいと思います。

農業再開の動きが広がっているとはいえ、避難中に田畑は荒れ、人手不足や高齢化といった課題も山積しています。田植えや稲刈りなど隣近所で手伝い合ってきた米づくり農家のコミュニティは破壊し、帰還しても農家はまばら。避難中に、田畑に生息圏を広げるようになったイノシシなどの鳥獣による被害も深刻。国、福島県、地元企業で作る合同チームの調査によると、事故で避難指示が出た12市町村の農家約１０００人のうち、農業を「再開したい」19％、「再開済み」22％に対して、高齢化や地域の労働力不足、故郷への帰還を諦めたことが理由で42％が「再開するつもりはない」、17％が「未定」と回答しています。（東京新聞、２０１８年５月21日）。

第3章 ミランダさんと福島の高校生が語るエネルギーの未来（福島市）

日時：2018年2月25日（日）18：00～20：30
場所：福島市民会館
主催：アースウォーカーズ、日本イラク医療支援ネットワーク（JIM－NET）

この企画は、郡山市で開かれた集い（本書第2章）と同様、「ミランダさん講演会実行委員会」佐藤真紀さん（JIM-NET事務局長・副代表）と、小玉直也さん（アースウォーカーズ代表理事）によってコーディネートされました。2部構成で行なわれましたが、第1部のミランダさんの講演は省略します（本書第1章東京講演会参照）。第2部では「ミランダさんと福島の高校生が語るエネルギーの未来」というテーマで、東日本大震災・原発事故を経験した福島の高校生とミランダさんが語り合う場となりました。司会は小玉さんです。

1　オーストラリア保養プログラムに参加した高校生Sさんとの対話

環境や平和問題に取り組むNPO法人アースウォーカーズは3・11以来、放射線に被ばくした福島の子どもたちを対象とするドイツやオーストラリアなどへの学習型保養プログラムや、地元福島の高校生が毎月集い発信するスペースづくりを積極的に進めてきました。2013年には「再生可能エネルギー推進、脱原発のドイツに学ぶ福島高校生プロジェクト」を開始、2015年からは「福島中学生オーストラリア交流プロジェクト」を同様の趣旨で始めています。オーストラリアは核燃料の基になるウラン鉱石の最大の輸出国（埋蔵量は世界最多の24％）ですが、ウラン鉱石の採掘現場では先住民族のアボリジニーの人々が今も被ばくで苦しんでいるのが実情です。そのオーストラ

右はアースウォーカーズの小玉直也さん、左はJIM-NETの佐藤真紀さん（写真：清水香子）

リアで取り組まれている再生可能エネルギー（＝自然エネルギー）政策を直接見聞きすることは、子どもたちにとって大変貴重な体験となっています。また地元福島では高校生が月一回集まってミーティングを開き、自分たちの未来像を模索しています。メンバーは20人ほどです。

今回のミランダさんとの対話に参加した高校生Sさん（県立福島高校1年・女子）もオーストラリアを訪問した当時の中学生のひとりです。

なおこの章では、会場の雰囲気もできるだけ感じてもらえるよう、参加者の発言はそのままの言葉遣いを生かしながら収載しています。

高校生にできることは何か

Sさん（県立福島高校1年・女子）　現在、私たちは月1回のミーティングに集まって、福島にいる自分たちが福島の未来について考えないのはおかしいんじゃないかと話し合い、自分たちができること、すべきこと、原発事故の問題などを周りの人たちに発信していこうという活動をしています。

でも、話し合ってはいるんですが、自分たち高校生は何をしたらいいのか分からないでいるんです。原発問題おかしいのではないかと、まだお偉いさんに言える立場ではないので、私たち高校生にできることは何なのか、などについて教えていただきたいと思っています。

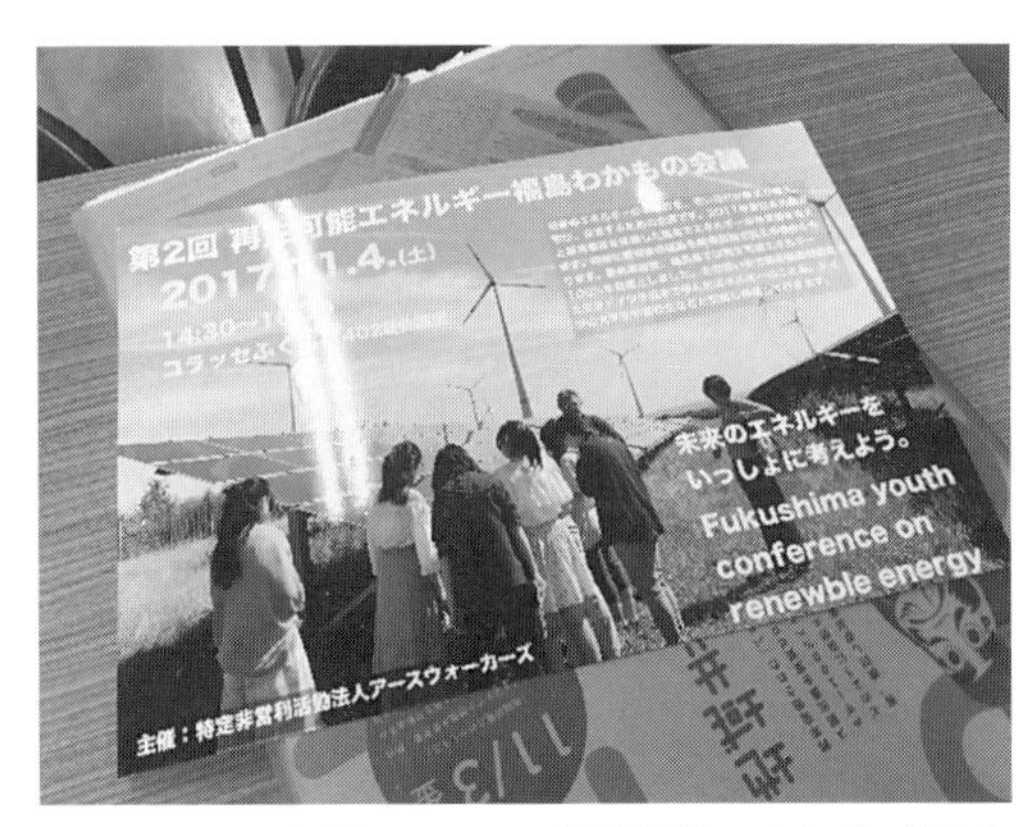

Sさんたちの活動のひとつ、「再生可能エネルギー福島わかもの会議」を呼びかけるポスター（写真：清水香子）

ミランダ　まだ投票できないでしょう？　自分の地域の政治家に手紙を出したことありますか？　自分だけでなくて高校のみんなが政治家に手紙を書いて送る。安倍首相に手紙を書いたことありますか。書いたらどうでしょうか。そしてその手紙を新聞社やジャーナリストに送ったらどうですか。あるいはインターネットに投稿し、サインしてくれる人たちを集めて、次の世代に私たちはどういう未来を望んでいるのか、欲しているのか、それを政治家に教えるとインパクトあると思いますよ。

　アメリカでは今、高校でひどい銃の乱射事件が続いていますが、たくさんの人が死んでも、ニュースで伝えられても、すぐに忘れられてしまって、政治家は何もしません*。しかし最近、当事者である高校生たちがいろいろ要求しています。「これはいけない、あなたたちは私たちの命を守るべきだから、それをやりなさい」などと。高校生からの要求が今すごくメディアに入っていて、政治家にプレッシャーをかけています。

＊2018年2月14日、フロリダ州の高校を襲った銃の乱射事件をはじめ、この年に入って12月12日までに、アメリカの小中高校で起きた銃暴力事件は94件（死者55人、死傷者163人）にも及び、件数、犠牲者ともに1970年以降最悪の事態となった。しかし銃規制反対派のロビー団体「全米ライフル協会」（NRA）から支援を受けるトランプ大統領や共和党は規制に消極的で、大統領は教職員に銃を持たせる武装化に前向きな姿勢を示した（東京新聞、2018年12月12日）。

アメリカの高校生たちはもうひとつのことをやっています。銃を造っている会社、軍事会社がどの政治家にお金をあげているのか、あるいは原子力発電をやっている会社はどの政治家を支持しているのか、などを調べ、ジャーナリストに伝えて橋を架けているのです。＊皆さんもその気になればすぐに調べられますよ。

＊アメリカのタイム誌による2018年版「世界で最も影響力のある100人」に、銃規制デモをリードするフロリダ州の高校生たちが選ばれている。

自分たちの生活のなかでできることは、例えば電気の消費を少なくすることです。そうすれば電気をもっといっぱい作ろうという発想がなくなります。メディアに点数をつけることも大事。自分でジャーナリストになったり、文章を書いたりして外に声を出すのです。あなたならどういうことを考え、どうしようとしていますか？

Sさん　ミーティングの結果出てきた意見は、例えば「福島の現状はこうです」というふうに、ポスターにして貼ったり、SNSで発信したりしていこうと思っています。

ミランダ　がんばっていってください！

Sさん　それと似たような発言になってしまいますが、日本の学校って、例えば私の学校では、上の立場の人、例えば先生に、福島のこと、原発事故の話や震災の話とか、あまり授業などで取り上げてもらったことがないんですよ。自分たちの県で起きたことなのに。その理由を先生方は、「思い出しちゃう人がいるから」と言うんです。それは違うって思っている生徒は結構います。でも日本の教育って、生徒たちが積極的にやろうとしていることを押さえつけてしまう傾向があります。そういう傾向を変えていくためには、私たちが何回でも、そのような傾向はおかしいのではないかと言っていくしかないんじゃないかと思っています。

民主主義が危ない、発言しないと民主主義が消えてしまう

ミランダ　昔のドイツの授業や政治のやり方は、上から下へ、だったんですが、今の学生は違います。許さないんですよ。私が大学で講義するとき、ドイツと日本では全然違います。ドイツの学生は手を挙げて「先生。先生の言っていることはおかしい！　先生の言っていることは、だめだ！」って言うんですよ。私は最初ショックでした。でも考えてみたら「ああ！　これはいいことだな、これが民主主義だな、皆が自分の考えていることを言うのだから」と思ったんです。

自分から言うのはちょっと、と思うかもしれないけれど、たとえ先生に対してであれ、「先生と私はちょっと違う意見を持っているんですが」と本当は言うべきですよ。なぜかというと、民主主義とはそういうものなんです。いろんな意見があるから、それをちゃんと発言しないと、民主主義が消えてしまう。

今世のなかを見ると、民主主義が危ないんですよ。あなたたちの時代は大変なことが始まっている。民主主義を助けてあげないといけない、自分たちの未来を強くするためにも。そしてそのために先生にはどう言えばいいのか。「先生たちは福島のことをあまり話したくないかもしれませんが、私たちは話したい、話す必

ミランダさんの話に耳を傾ける参加者（写真：清水香子）

要があると思っていますʼ」と言うといいのではないのかな。

Ｓさん　現実的な話になってしまうけれど、福島県では２０４０年までに再生可能エネルギーを１００％以上までもっていくという話があるのですが、可能なのかどうか。どう思いますか。

ミランダ　応援するよ！　可能性はある。１００％、１２０％以上作り、それを県外に送り出す。自然エネルギーとは太陽光とか、風力とか、地熱などです。それを可能にするには、いろんな新しい生活のやり方で、未来的な美しい町、スマートシティ＊を作っていくことです。エネルギー効率を高めていけば、自然エネルギーは増え、原子力は必要なくなり、蓄電技術を発達させた新しい町が出来上がっていく。それがあなたたちのチャンスだと思う。

＊スマートシティとは情報技術（ＩＴ）や環境技術などの先端技術を駆使して電力の有効利用や省資源化などを町全体で図っていく、環境配慮型都市のこと。

あなたたちには自分たちの未来を創る権利がある

ミランダ　私が学生たちに環境のことを教えたり、エネルギーのことを教えたりしていると、ちょっと暗い雰囲気になりがちです。しかし実際はあなたたちのチャンスになる。あなたたちには自分

福島の高校生ドイツ研修レポート（写真：清水香子）

たちの未来を創る権利がある。新しい技術を作れるんです。きれいで自然の多い自然エネルギーの町を創っていけば、自分たちも楽しくなれるでしょ、そう言っているんです。

Sさん　再生可能エネルギーを普及させる過程では、例えば外観［景観］を損なってしまうこともあると思うんです。ドイツでは住民の意見が反映され［た結果とし］てエコシティ［環境共生都市。環境問題に配慮し、人間と自然が共生することを目指す町づくり］のようなものができたのでしょうか。それとも、そのような町づくりに理解を示す人たちが［あちこちから］集まってきて、そのような町ができたのでしょうか。

ミランダ　ドイツの場合は町に住んでいる人た

ちが共同で自然エネルギーに投資して風力を作ったり、太陽光を作ったりしています。そこのいいところは、投資したお金が外に行くのではなくて、その町に残ること。先ほど「私たち高校生にできることは何なのか」という話がありましたが、スタートとすべき場所はやはり学校ですよね。あなたの学校には太陽光パネルとか付いていますか？

Sさん　付いてない！

ミランダ　付いてないなんですか‼［驚きの声］。校長先生に連絡して、ここに問題があるのでは、と言ったらどうですか。「授業では自然エネルギーの話をずっとやっているんですから、福島県は自然エネルギー100％の県になりたがっているんですから、うちの学校も付けてはどうでしょうか？」と。このような話がどうして大切かというと、学校は教育の場ですから、なぜ自然エネルギーなのか、どのようにそれを使うのか、そういうことを机の上だけでなく、学校の建物そのものを使って授業することができるからです。生徒自身のプロジェクトとして、太陽光パネルの設置法について習ったり、将来の再生可能エネルギー法のあり方について学んだりすることが、実践的な学びの場になっていくということです。

2　ミランダさんからの質問

小玉（司会、アースウォーカーズ）　ミランダさんから逆に質問などありますか。

ミランダ　もちろんあります。今度は私が立ちます。

◎ここでミランダさんは立ち上がり、Ｓさんを自分の席に招いて座ってもらい、立場を変えて質問しました。この場面は新鮮でした。あとでミランダさんにこのときのことを尋ねると、生徒と自分を対等な立場に置きたかったから、と言いました。

今度は私が立ちます、とミランダさんの席に座らせる（写真：清水香子）

なぜ自然エネルギーに興味を持ったか

ミランダ　どうしてこういうテーマに興味を持つようになったのですか。

Ｓさん　私はオーストラリアの保養［アースウォーカーズ企画の

放射能被ばく者のための保養ツアー」に行くまでは、正直、震災があって海外に行けてラッキーだな、くらいな気持ちでした。

オーストラリアに行って、日本が第二次世界大戦でオーストラリアを攻撃*したということを初めて知りました。学校では習っていなかったんです。ツアーの講演でその話を聞いたときに、自分の住んでいる国がしたことなのに、自分は知らないんだということを知りました。そして、情報を与えてくれる人がいないなら、情報は自分から主体的に掴みにいかないといけないんだと知りました。

*アジア・太平洋戦争において日本軍はオーストラリア本土を少なくとも90回以上空襲。最初に決行された１９４２年２月19日のダーウィン大空襲では、少なくとも２５０人近くが死亡、数百人の民間人が住宅を失うなど、甚大な被害を与えたといわれる。

それで講演に集まった現地の人たちから、再生可能エネルギーの話もいろいろ聞いて、これは福島にとって大事な話だから、自分から進んでやっていかないといけないと思いました。

ミランダ　素晴らしい！　その話をオーストラリアで聞いて、いろいろな考えを日本に持ってきて、その情報をどういうふうに使いましたか。

Sさん　日本の高校生はそのような真面目な話に興味を示さない人がけっこう多くいます。なんでそんな真面目なことをやっているの、とか、そういうふうに言われることもよくあって、それで今のところ、そのようなことに興味を示している人たちで集まって、その人たちのなかで情報を共有して、まず仲のいい人たちから発信するようにしています。

将来何になりたいか

ミランダ　とても素晴らしいです。あなたは将来何になりたいですか。

Sさん　まだよくは決まってはいないけれど、一番強く思っているのは国際的な分野で働きたいということです。震災があったときに、自分たちが当たり前に使っていたライフライン〔電気、ガス、上下水道、電話、交通、通信などの供給網〕が止まったりして、すごく短い間だったけれど、私にはすごく大きな衝撃でした。でも世界的な眼で見てみると、震災のときに経験した生活状態が当たり前のようになっている地域が世界にはたくさんあって、水があることとか、当たり前じゃないということを知りました。先進国の人たちは自分の生活が当たり前だと思いがちだけれど、それが当たり前じゃないんだということを、もっと多くの人たちに知ってもらいたいと思って、そのような活動をしていきたいと考えるようになりました。

ミランダ　［拍手］このような中高生がたくさんいれば日本の将来は大丈夫‼　もうひとつ、ここに集まってくださったみなさん、何か質問ありますか。Sさん、ほかに聞きたいことはないかな？

3　再びSさん、そしてもうひとりの高校生との対話

信頼される人になるには？

Sさん　抽象的な質問になってしまうんですが、何かを行なうときには、仲間が多いほど、支持者が多いほど、やりやすく行動に移しやすいと思うんです。それで、人に好かれやすいっていうか、人から、この人となら一緒にがんばっていきたい、とか、この人なら信頼できる、と思ってもらえる人になるには、日頃からどういったことに注意していけばいいんでしょうか。

参加者（女性）　自分の思いはすごくしっかりされていると思うから、その分、相手の気持ちを聞いてあげられる人になると通じるかなと思います。先に意見が出る子は、それはそれですごく素敵で羨ましいと思う。だけど、本当は言いたいんだけど、そこまで言えない子の気持ちを聞き取る、その間（ま）というのかな、そういうものができると、そういう子たちのなかからも、だんだんほかの人に

ひとつ呼びかけてくれたり、どう思う？　と聞いてくれる仲間が出てきたりして、いい。そういう距離感を考えてやっていけるといいんじゃないかな。あまりぶつけ過ぎると逆に［相手は］引いてしまうと思うんです。

ミランダ　私が入っているドイツのある委員会では今度もっと若い人をメンバーに入れるんですが、一緒に入りませんか。

小玉（司会）　アースウォーカーズの冬休みのプロジェクトでオーストラリアに行ったある高校生は、それがきっかけかどうかは分かりませんが、その年の9月から福島の高校を休学して、今度はドイツの高校に1年間留学しに行きました。その子は将来、共同通信でジャーナリストになりたいと言っていました。

リーダーシップを取る

ミランダ　それはすごい。その子が私の住んでいるミュンヘンに来たいと思ったら、ぜひ来てください。

今［参加者の方が］話してくれたような考え方を持って、必ず周りを見て、周りの判断がどうしてこうなっているのか考えながらものを見ていく。こういう国になって、誰が利益を得ているか、それで大丈夫か、変える必要がないか、考える。興味関心を持っている学生はそれほど多くない、それは実際です。興味を持っている方々が周りを見て、ある程度発言し、リーダーシップを取るしかない。それはその人にとって負担になってしまうと思いますが、そういう立場に立っているんだから、チャンスになる、とも言える。

自分の未来を考えて、そのイメージを創って、あまり興味を見せない人たちに、どうすればそれをよりよいイメージで紹介することができるか、そう考えるといいと思います。リーダーシップとはそういうことなんです。興味がない、あってもどうすればいいか分からない、やりたいけれど、周りがそれを許してくれない、そういう人がたくさんいます。だから、それを分かりながら、自分でリーダーシップを取ってやっていくのです。

Sさん、いつか日本で初めての女性の総理大臣になってください。［会場、大拍手］

新しい世代は新しいブームを創れる

小玉（司会）　今、塾が終わったからと、インターネットから合流してミランダさんに質問したい生徒がいます。

ミランダ　もうひとりの総理大臣だ！　こんばんは。初めまして、ミランダです。みんなに「あなたの」顔が見えますよ。ここに40人くらい座っていますが、質問ありますか。

高校生（女子）　日本の教育とドイツの教育を比べた話を以前聞いたときに、ドイツ人が持つ積極性とか、自分の意見をすごく大事にして主張するということに憧れて、自分も［ドイツの学校に］行きたいなと思ったんです。けれど、周りの友だちとかによくそのことを話すのですが、なかなか受け入れてもらえなかったり、私たちは奥ゆかしい文化のなかにいるからと言って、あまり意見を聞かせてくれなかったり、ということがあるんです。どうやったら話を聞いてもらえるようになるのか、うまく伝えるにはどうやればいいんでしょうか。

インターネットで合流して質問する高校生（写真：清水香子）

ミランダ　ひとつの世代から次の世代に変化するときには、新しい世代は新しいブームを創れる可能性を持てるんですよ。昔の日本、昔のドイツだったら、例えば１９

６０年、70年代の若者世代は革命を起こしたんですよ。

どういう革命かというと、私たちはもう今までのやり方はアクセプトしない、認めない、私たちは社会や政治に参加したい、そうはっきりと主張し、行動し、それを社会に認めさせたんです。だから、あなたたちも自分が何か言いたいときは、まず言うべきですよね。そこから始まります。できるだけ相手に干渉しないという日本的な文化のなかでは、なかなか簡単にはいかないかもしれないけれど、もうちょっと手を挙げて、相手のためとも思って自分が信じる意見を言えたなら、全員が耳を傾けてくれるわけではないにしろ、何人かは必ず聞いてくれると思いますよ。隣の友だちと一緒に手を挙げて言うと、いいかもしれない。

先日、大学で市民運動についての講義をしていたとき、ある学生が私の話の途中で、突然立って教室から出て行こうとしたんです。私は彼を見て、これ何だろうと思っていると、彼はドアのところで私を見て立ち止まり、先生、ぼく、今から出かけます、と言うんです。どうして？　と聞いたら、この授業はプロテスト［抗議行動、反対運動］についての授業だから、自分はプロテストしに行きます、と。これから町でプロテストがあるから、ここで習っているよりも、もうやるべきだと。私は、ああ、と思って、何も言えなかったんです。

すごいと思ったんですよ。彼は自分でやるということを考えていたんです。もちろん授業は参加した方がいいですよ。皆さんも普段は授業から逃げないで勉強してください。でもあのときすごくいいと思ったのは、話したり勉強したりするだけじゃなくて、ちゃんとやるべきことをやろうと行動していることです。それはすごくいいことだと思ったんです。

今日ここで発言してくれたおふたりを見て、福島にもこんなに活発に勉強して考え、行動しようとしている生徒がいることが分かりました。ほんとに素晴らしいと思いました。

ミランダさんと高校生Ｓさんたちとのやりとりを見ていて、編者はミランダさんの見事なファシリテーターぶりに感動しました。少しも上から目線にならず、Ｓさんたちに寄り添って対応します。質問するときには、自分とＳさんの居場所を逆にして、対等な関係であることを示そうとしたのはその象徴でしょう。Ｓさんがいいことを言うと、素晴らしい！　と心から褒めて励まします。そしてさらに掘り下げ、問題意識や可能性を引き出そうとします。Ｓさんの話を聞いていて、ミランダさんはドイツの自分の委員会に若い人が必要だから、入らないかと誘います。そして、いつか日本で初めての女性総理大臣になってください、とまで、ごく自然に働きかけるのです。福島の高校からドイツの高校に留学した生徒がいると聞くと、その生徒が来たいと言えば自分の住むミュンヘンにどうぞ来てください、と気軽に話を継ぎます。Ｓさんたちにとっては、自分たちが思いもかけなかった可能性に目を開かされ、大きな励ましと力になったに違いありません。

ミランダさんの謙虚さ、若者たちから学ぶ姿勢にも印象深いものがありました。それがまた、Ｓさんたちの積極性、行動力を励ますことになったのではないでしょうか。

第4章 立憲民主党エネルギー調査会での講演と質疑応答（東京）

日時：２０１８年2月27日（火）11：30～13：00
場所：衆議院第二議員会館
主催：「ミランダさん講演会実行委員会」
共催：ＦｏＥ Ｊａｐａｎ

立憲民主党エネルギー調査会
（写真：清水香子）

この企画は国会議員への働きかけの一環として、共催した国際環境NGO「FoE Japan」の事務局長、満田夏花（かんな）さんのコーディネートで実現しました。施行後5年以内の全廃炉を規定した原発ゼロ基本法案*は立憲民主党が中心となって、日本共産党、自由党、社会民主党の野党4党が衆議院に共同提出し、審議入りを要請した法律案です。本章は同法案提出直前に開かれた立憲民主党エネルギー調査会（第11回）でのミランダさんの講演とその質疑応答を収録したもので、参加者は50人、うち衆議院議員は14人でした。

*立憲民主、共産、自由、社民の野党4党は2018年3月9日、原発ゼロ基本法案を衆議院に共同提出。「これまでの原子力政策が誤りだったと認める」と明記し、稼働中の原発の速やかな停止を求め、法施行後5年以内の全原発の廃炉を宣言。一方、エネルギー供給量全体に占める再生可能エネルギーの割合を2030年までに40％以上に増加させるとした（2018年の同割合は17・4％。環境エネルギー政策研究所推計）。そして廃炉作業を行なう電力会社や立地地域の雇用・経済対策に国が必要な支援を行なうことも規定。立憲民主党は2018年1月以降、全国18カ所でタウンミーティングを実施し、延べ約2000人の参加者を集めたが、同法案はそこでの意見を生かしてまとめられたもの。条文には、原発ゼロ・エネルギー改革に関し「政府は教育・広報活動を通じて国民の理解を深め、協力を得るよう努めなければならない」とする文言も盛り込まれた（同法案のその後については本書152頁参照）。

1　講演「脱原発に舵を切ったドイツ――その現状と課題」概要

私は今日、福島からこちらに来ました。原発事故以来、福島は6回目ですが、現在の状況を見ると復興はまだまだだと思いました。日本が福島の事故のあと、どういう学びをするか、どういうエネルギー政策を作るか、非常に重いテーマだと思っています。

◎以下、第1章に収録した東京講演会の内容と重なる部分は省略します。

エネルギーヴェンデ（エネルギー転換）

さて、現在ドイツはエネルギー政策をめぐっていろいろなことを行なっていますが、今日はそれを紹介したいと思います。

ドイツでは「エネルギーヴェンデ」（Energiewende）という言葉を使っています。これは「エネルギー転換」という意味で、世界中で使って欲しいと思っている言葉です。

福島の事故が起きる以前に私はドイツ政府「環境問題専門家委員会」（SRU）のメンバーのひとりでした。福島の事故の1年前に私たち環境問題専門家委員会は、原発を止めても電力は自然エネルギー［＝再生可能エネルギー］で代替可能であるというレポートを出しました。しかし、レポートを渡したものの、政治家はあまり興味を示しませんでした。

その1年後に福島の事故が起きました。このとき、しまってあった［政治家の］机の引き出しからこのレポートが取り出され、ドイツはどう対応したらよいのか、という議論になったわけです。

ドイツの場合は歴史的に脱原発の話が議論のなかにありました。脱原発の考え方は1970年代のいろいろな原発の建設計画に対するプロテスト〔抗議行動、反対運動〕から見えていました。チェルノブイリの事故後、1988年から2000年のあいだに10年ほどかけて、ドイツは初めて脱原発へのかじきりを決めたのです。

福島の事故によってドイツが何を変えたかというと、脱原発への具体的目標年についてであり、それが早くなったのです。

◎続いてミランダさんは3・11直後にベルリンで行なわれたプロテストの様子を紹介しました。

日本と連携して行なわれたベルリンでのさようなら原発デモ（写真：Uwe Hiksch、2012年2月11日）

福島の事故があって、ドイツの市民がプラカードを手に大勢抗議行動に出たのは、ドイツのすべての原発は即刻停止すべき、というサインだったのです。福島を見てドイツ人が思ったのは、日本のような技術の発達した国で事故が起きたとすると、もしかしたら、ドイツでもいつかは起こりうる、ということでした。抗議行動は国内各地で盛んに行なわれました。風船を持って、子どもたちを連れたりして、ベルリン12万人、ハンブルク5万人、ミュンヘン4万人、ケルン4万人と、これだけでも25万人が参加しました。私はベルリンでのプロテストに参加しました。歩いてみたら、ああ、あの議員さんがここ立っている、この人はあの有名な元市長さんだ、というように、知っている顔がみんなと一緒になってプロテストに参加していました。車がもう道を通れないほどで、プロテストが次から次にいろんな町に広がっていったのです。

世界の脱原発状況とエネルギーデモクラシー

◎ミランダさんはイタリア、スイスの対応も紹介しながら、その後のドイツの状況や中国での新たな動きへと話題を移します。

私が日本で講演などをすると、ドイツは独りで片道を歩いているのではないかと、よく質問されます。そうではありません。ドイツより原子力に頼っているスイスも原発を止める計画になっています。*イタリアでは福島の事故直後に、2度目の国民投票を行なって、原子力はこの国にはいらないと決めました。**

*スイスでは、2017年5月、新エネルギー法（2050年までに脱原発を実現するために、再生可能エネルギーと省エネを促進するための法律）の是非を問う国民投票が行なわれ、賛成58・2%、反対41・8%で可決された。

**チェルノブイリ事故前に4基の原発を活用していたイタリアは、事故後の国民投票で1990年に全基を閉鎖した。その後2003年になって電力供給体制の脆弱性が露呈し、政府は原子力開発を含めた早急な電源開発促進政策を進めていた。

なお、法制化で原発不使用国となっているのはオーストリア（1979年法制化）とオーストラリア（1998年法制化）、また、現在は原発稼働中だが閉鎖予定国となっているのはベルギー（２００３年法制化／２０２５年閉鎖）である。

チェルノブイリの事故後、ドイツではさまざまな形で自然エネルギーの開発プロジェクトが進められました。「固定価格買取制度」（ＦＩＴ）の導入は、ドイツが２０００年に脱原発を決めると同時に行なった政策のひとつです〔本書63、88頁参照〕。ドイツの総電力消費量に占める自然エネルギーの割合は１９９０年時点ではわずか３％、ＦＩＴ導入時の２０００年時点でも６％しかありませんでした。それが今では33％です〔２０１９年は46％（本書62頁参照）〕。

福島の事故のとき、ドイツの原子力は23％を占めていました。今は11％。２０２２年にはもちろんゼロになるはずです。これがエネルギーヴェンデのひとつの柱です。

２０００年にＦＩＴを導入してから、地域レベルでいろいろなエネルギー組合が作られて、そのエネルギー組合が今では自分の町を１００％自然エネルギーにしようとしています。これは非常に大切なことです。なぜかというと、日本の場合はメガソーラー、大きな会社が大きな太陽光パネル・プロジェクトを作って自然エネルギーを増やそうとしていますが、ドイツの場合、自然エネルギーの発電施設を持っているのは普通の市民とエネルギー組合だからです。私の友人もみんな風力〔発電事業〕のひとつくらいには投資しています。ドイツから見えてくるのは、エネルギーヴェンデ〔エネルギー転換〕というのはエネルギーデモクラシー〔民主主義〕だということで、そのことは非常に大事だと思います。

日本でよく聞くのが、ベースロード電源が必要で、それが原子力だということです。ドイツでも昔は同じような考え方でしたが、今は違います。先ほどお話したように、現在では自然エネルギーが33％になっています。そうなってくると、〔風力、太陽光、バイオマスなど〕いろいろなところから来ている自然エネルギーを合わせると、必ず、少なくとも20％は安定したエネルギーとして機能するんです。ドイツで議論しているのは、自然エネルギーをベースにして、天然ガスなどの他のエネルギーをできるだけ抑えながら、どのようにしてそれに組み込んで使えるか、ということです。原子力はすぐに点けたり消したりはできません。ガスだったらすぐに点けたり消したりできます。

世界的な自然エネルギーの導入と推進

ドイツではベースとして自然エネルギーがあって、天然ガスなどの化石資源は必要な分だけ使います。自然エネルギーは今は33％くらいですが、２、３年のうちには、たぶん37～38％くらいになり、２０３０年までには50％くらいになると思います。そうなったら、他の多くのエネルギー〔石炭、石油、天然ガスなど〕が時々しかいらなくなってきます。ドイツで見えているこのエネルギーヴェンデは、近年では他の国にも見られ始めています。

すごく大切に思えるのは中国の動きです。中国は２０１６年に１年で34ギガワット〔１ギガワット

＝100万キロワットはほぼ原発1基分］の自然エネルギーを導入しました。この年の日本全体の自然エネルギー量は43・4ギガワット。ですから日本が何十年もかけて達成できた量を中国はわずか1年で導入したことになります。これはアメリカが持っている自然エネルギーを超える量です。これほど自然エネルギーに投資しているということは、自然エネルギーのコストが今後ドーンと落ちるということを意味します。普及がますます加速するでしょう。

だから、これは中国に対しても言えることですが、経済的に見ても、新しい原子力発電所を造る意味がないのです。放射性廃棄物の問題を考えると、今ある原発を維持するだけでも高い。原子力は経済的な議論でも駄目になってきているんです［本書158〜159頁参照］。こうした状況を見る限り、世界規模でのエネルギーヴェンデの可能性はすぐに見えてくると思います。インドは少し不透明なところもありますが、2020年までに中国の投資規模と同程度の自然エネルギーを導入したいと思っているから、変化は時間の問題でしょう。

どうやって自然エネルギーを作るか。ドイツは循環型社会を目指していて、「捨てる社会」を変えようとしています。例えば、ごみの分別についてはだいぶ前から力を入れてきましたが、今ではミュンヘンでも、ベルリンでも台所から出る生ごみを集めてバイオガスを作り、そのガスでごみを集めるトラックを動かしています。いろいろな面から新しいエネルギーの創出とその利用法を研究しているのです。

2　立憲民主党議員との質疑応答

日本にはドイツ以上の可能性がある

議員Ａ（男性）　政府になぜ原発をゼロにできないのかと質（ただ）していくと、再生可能エネルギーは不安定だ、ドイツはフランスなどから電気を輸入して調整しているからできるけれども、島国の日本はそうなっていないから難しいと言うのです。実際はどうなのでしょうか。

立憲民主党エネルギー調査会での活発な質疑応答（写真：清水香子）

ミランダ　福島の事故直後には、ドイツは電気を1年間だけフランスから少し輸入しました。でもそれはほんの細部の話で、現実には、ヨーロッパのなかで一番電気を作っているのがドイツなのです。実際、ドイツは逆にヨーロッパの多くの国々に電気を輸出している国です。ドイツは実質的に、まったくフランスからの電気は必要としていません。［他の国の］電気がドイツの送電線を経由してポーランドに行ったり、オーストリアに行ったりはしていますけれども、福島の事故後の一年間を除けば、ドイツはどの国からも輸入［＝購入］していません。*

＊3・11以後、「ドイツは脱原発と言いながら、結局フランスから原発の電気を輸入しているから、ずるい」という情報が数多く流され、いまだにそれを信じ込んでいる人が日本では少なくないが、これには何の根拠もないことが明らかにされている。
ヨーロッパでは、国によって相違する発電量や電力需要の変動に対応するため、電力の輸出入によってこれを補完し合っている。ドイツは1998年に電力市場の完全自由化を実施し、2003年以降、電力の輸出超過が続いている。2011年の福島の原発事故のあと原発の約半数が停止され、供給力が低下したため、電力の輸入が一時的に行なわれたものの、一方では、再生可能エネルギーによる発電が急速に増加して、原子力発電の減少をカバーし、輸出が年を追って拡大している。

他国との電気の交流〔融通のし合い〕について言えば、日本は島国だから難しいという話をよく聞きます。一方、ドイツは〔ドイツの送電線を通過するという意味で〕デンマーク、ノルウェー、ポーランド、オーストリア、オランダ、あるいはスイスとの電力の交流はあるけれども、すべて合わせても10％程度の通過量に過ぎません。送電線が足りないためです。島国でないにもかかわらず、日本でよく言われるようには他の国とつながっていません。

ところで、この電力の交流について、視点を変えて考えてみましょう。日本は4つか5つの国からなっているように見えます。北海道、本州、四国、九州、それに沖縄。それが送電線でつながったとしたら、北海道はノルウェーのよう、本州はドイツとオーストリアのようです。日本は島国だからできない、という発想は考え方がおかしいのです。どうしてかというと、北海道と沖縄の天気

［＝気候］はまったく違うからです。大切なのは違う天気のところがつながっていることです。「国」がつながっているかどうかは関係なく、国であれ地域であれ、異なる天気の地域同士で、電気の交流をすることが大切なのです。日本はいろんな天気があるひとつの島国で、北から南までドイツよりも太陽光が強いところや風が強いところが多く、またバイオマスも豊かな点で、ドイツに比べてずっと自然エネルギーに恵まれている国なのです。海上風力発電については、日本は海が深いので条件的には不利なところもあるでしょうが、日本の技術はそれをきっと乗り越えられると思います。

高レベル放射性廃棄物の処理をどう進めるか

議員Ｂ（女性）　原発から出る高レベル放射性廃棄物の最終処分に関して、ドイツでは金銭面や仕組みづくりの面で、事業者や国がどれくらいの責任を負うことになっているのでしょうか。

ミランダ　ドイツの法律では電力事業者がそのコストを負担することになっています。だから最終処分場を造る膨大なコストも、原子力を稼働していた会社が払うべき問題とされています。しかし専門家は、最終処分のために必要とされる最終的なコストは私たちが数年前に想像していたよりもはるかに高くなると予想しています［ドイツの場合、推計によると廃炉や廃棄物処理の費用は１基当たり１・３兆円を超え、とうてい一民間企業で賄（まかな）いきれる金額ではない。本書67頁参照］。ですから、いずれその費用の多くは私たちの税金で賄うしかなくなってくると思います。

最終処分場をどこに造るのか、それを検討する機関は３つあります［本書64頁参照］。私が今入っている機関「原子力廃棄物処分現場選定のための国家諮問委員会」（Nationales Begleitgremium）のメンバーは現在９人で、今年中には18人に増やします。メンバーには一般市民も含まれ、その市民メンバーを集めるために、政府は７万５０００人の家庭に電話を入れました。「最終処分場を見つけなければならないのですが、その委員会に加わることは考えられますか」と。

市民参加の形をどう作り、市民のパワーをどう生かすか

ミランダ　この進め方にはたぶんふたつの意義がありました。ひとつは市民の関心を呼び起こしたことです。政府から電話がかかってくれば、市民たちは一体何だろうと興味を持ちます。参加したくなくても、この問題の大きさについて考え始めるきっかけが生まれます。私が電話をもらったとしたら、友人にもそのことを話題にするでしょう。今日、政府から変な電話があったよ、と［笑］。

こうして、７万５０００人への電話から、３５０人くらいの方が委員会に参加してもいいと回答してくれました。そしてこの３５０人が最終処分場を検討するための市民サポーター的な存在になっていきました。これがふたつ目の意義です。つまり、こうした進め方が市民参加のベースづくりにつながっていったのです。３５０人のうち３人が選ばれて、現在の９人体制の委員会を形づくっ

ています。

私たちの役割は、政府がやっていることをフォローしたり、批判したりしながら、市民たちと直に会って交流し、このとても大切な問題を一緒に考えどうにかして解決しましょう、と呼びかけることにあります。市民パワーを生かしながら、社会の問題意識を高め、市民参加を促し、そのアクセプタンス［受容］を高めるための、社会環境づくりを進めているわけです。

議員B　その市民参加ということが私の一番聞きたかったことでした。もうひとつ質問があります。日本でも、原発はもうだめだ、止めたいと思っている人はたくさんいます。でも、何となくそちら［原発再稼働の容認］の方向に行ってしまう人もいます。ドイツの政府が直接電話で声をかけたという今のお話のように、普段声を出さない人たち、この問題にはっきりした答えを見つけられないでいる人たち、あるいは、ちょっと再稼働を進めた方がいいと思っている人たちにアプローチする、何かいい方法はないでしょうか。

ミランダ　私は福島の原発事故後にも何回か日本に来ているのですが、今回、１週間日本に滞在してあらためて分かったのは、地域レベルで何かやりたいと思っている人は多いけれども、その方法を見つけられずにいる人も少なくないということでした。ドイツでも20年前だったら同じような状態でした。やりたい人はたくさんいる。でもどうやればいいか分からない。今言えるのは、あのときとても必要だったのはネットワークを作ることでした。ネットワークを使って、ポジティブにやっていこうとする市民たちをどう結びつけるかが大切だったのです。

エネルギーヴェンデの面白さ、将来イメージをどう提供するか

ミランダ　ドイツのエネルギーヴェンデ〔エネルギー転換〕について話すとき、私自身ちょっと間違っていたなと思うこともあります。いつも、どうやって自然エネルギーを増やすかといった話ばかりしていました。でも、エネルギーヴェンデにはそれよりももっと面白いことがあるのです。それは、エネルギーヴェンデが新しい社会やライフスタイルづくりに直接つながっていることです。固定価格買取制度（ＦＩＴ）をどのように利用すればエネルギーヴェンデができるのか、ソーシャルメディアをどのように使えば若い人たちの力を集められるのか、といった発想の広がりを今は大事にしています。

日本でエネルギーヴェンデを進める場合にも、やはりそうしたアプローチが必要ではないでしょうか。自然エネルギーがすごい技術だと思っている人は残念ながらそれほど多くはいないのです。もし私がエンジニアなら、原子力の方が面白いと思ったかもしれません。でも実際にはそうではなくて、自然エネルギーをシステムや制度として考えると、工学的にも技術的にも面白い。アーバン

プランニング［都市計画］の点でも面白い。だから、ひとつはメッセージを少し変えること。日本は脱原発に取り組みながら、将来に向けて良いイメージを作っていく必要があります。20歳の若者は、脱原発の話だけを聞きたいわけではなく、どんな仕事ができるのかを知りたいのです。ですから、将来の経済のために提供できる技術の中身についても議論する必要があります。

日本にはいろいろな分野で優れた技術があります。日本が将来、中国やインドや他の国と競争できるためには何が必要か。ＩＴであれ、ロボットゼーションであれ、それをどう使えば日本がエネルギーヴェンデのリーダーのひとりになれるのか、そういうイメージを人々に提供できればいいと思います。

もうひとつ、私は何回かいろいろな日本の田舎を訪れているのですが、見てきた印象としては、ちょっと危ない。高齢化が進んでいたり、経済の投資が来なくなったりしている。こうした問題をエネルギーヴェンデのプログラムに結びつけていく必要があります。自然エネルギーの普及だけだったら田舎の仕事の可能性のひとつというレベルにとどまります。それだけを考えるのではなくて、どうやってそれをＩＴセクター［部門、業種］などと結びつけ、将来の社会的、経済的な取り組みにまで広げていくか。両方を包括的に考えないと、たぶんこのエネルギーヴェンデはある程度しか進まないでしょう。

自然エネルギーの仕事は自動車産業と同規模になる

議員C（男性）　もうすぐ私たちの原発ゼロ基本法案が出されることになります。これが提出されれば、政財界や国民の間ではいっそう大きな意見の交錯が始まると思います。実際、政府与党や産業界の多くの部分は、原子力産業をなくせば各業界のあらゆる領域にマイナスの効果をもたらし、日本経済を落ち込ませてしまうだろうと言っています。他方、私たちサイドの経済界の人たちは、そんなことはない、これから発展していく再生可能エネルギーの新しい市場が必ず現状を乗り越え、大きな力を持つはずだと主張し、双方対立しています。ドイツはまもなく原発ゼロになるわけですが〔本書59～60頁参照〕、この転換の只なかにあって、経済に対するドイツ国民の不安とか思いというのは今どういう状況にあるのでしょうか。

ミランダ　残っている原子炉の数自体が少ないので、現在、原子力関係の仕事に従事している人は3万人くらいしかいません。日本と非常に大きく違うのは、日本の場合、原子力を受け入れる町には政府から補助金が出されますが、ドイツではそれがないことです。原発を停止するのは、他の普通の会社を停止するのと同じことなのです。だから可哀そうと思っている人もいるでしょうが、失業は仕方のないことと捉えられています。それは資本主義のひとつの動きであるという認識です。そのうえで、原発会社であれ他の会社であれ、仕事を失った人には国が職業訓練などを差別なく提供しています。そういった意味では、原発だから大変だという考え方はドイツにはありません。

　また、このまま原発を続けても、お金は相変わらずひとつの産業にしか流れていきませんが、自然エネルギーあるいはエネルギーヴェンデの方に投資をすれば、関連するさまざまな産業分野にも投資することになります。だからエネルギーヴェンデの方がいろいろなセクターを支えることができます。ドイツ政府の統計による最近の予測では、近い将来、自然エネルギー分野で35万人［２０１６年実績：33万８０００人］、エネルギー効率分野で80万人［２０２０年には72万７０００人と予測］の雇用を生み出し、合わせると自動車産業規模の雇用と同じくらいになります［本書86頁参照］。将来的にはエネルギーヴェンデの方がより多くの仕事を生み出すはずなのです。日本を見ると、問題を難しくしているのは、政府から原発会社に長い間多くのお金が流れてきたことです。どうして他の産業にはほんのわずかしか流れていないのか。それは民主主義的と言えるのでしょうか。そういう疑問があります。*

＊再生可能エネルギー分野の雇用者数については国際再生可能エネルギー機関（ＩＲＥＮＡ）の調査結果がある。それによれば、２０１７年に関連産業で働く人の数は世界全体で初めて１０００万人台を超え、約１０３４万人となっている（前年比５・３％増）。国別で見ると、１位は太陽光発電で急伸中の中国（４１９万２０００人）、２位はバイオ燃料関連に強いブラジル（１０７万６０００人）、以下３位アメリカ（81万２０００人）、４位インド（72万１０００人）、５位ドイツ（33万２０００人）。日本は６位（30万３０００人）と続くが、２年連続の減少で、対前年比、約３万人減である。日本の雇用減の原因についてＩＲＥＮＡは、太陽光の買取価格の切り下げや、再生可能エネルギー事業者への送電線開

放の遅れ、それによる新規再生可能エネルギー事業者数の伸び悩みなどを挙げている（ＩＲＥＮＡ『Renewable Energy and Jobs　Annual Review 2018』）。

何のために生きているのか、政治をどうやって変えるのか

議員Ｄ（男性）　ドイツに住む友人がよくドイツ事情を話してくれるのですが、それを聞くと、ドイツ人は持続可能性の問題について非常に意識が高いというイメージがあります。先ほどのお話のように、都市部では生ごみからバイオガスを作ったり、［そこで生じる液体肥料を使って］みんなで野菜を収穫して食べたりしているそうですね。持続可能性という考え方はドイツではいつごろから生まれ、その起点となったのは何だったのでしょうか。

ミランダ　ドイツでは自然を守るという考え方が昔からあります。よく鳥を見に行ったり、山でハイキングしたり、野外で直接自然に親しむという文化が根づいています。だから自然保護に対する感覚もそのようななかから培われてきたのでしょう。ただ、反省すべき点については日本と非常に似ているところがたくさんあります。１９６０年代のドイツでは、ドイツには青空がないと言われていました。首相候補者が選挙キャンペーンで、青空を取り戻そう、環境を保護しようといったスローガンを盛んに掲げていた時代です。日本の60年代は水俣病とか、イタイイタイ病とかが公害病

として公式認定された時代ですが、同じころドイツでもライン川、旧西ドイツのノルトラインウェストファーレン州の石炭の出るところ、あるいは旧東ドイツのチェコとの国境付近などで深刻な公害問題が起きていました。たぶんそれらがきっかけとなったのだと思います。生活を取り巻く環境があまりにひどくなってきて、これが近代化なのか、私たちは何のために生きているのか、社会の目標はどこにあるのか、政治をどうやって変えるのか、という議論が生まれたのです。

当時を振り返ると、もうひとつ、日本にとても似ていたのは、政治のやり方がトップダウン方式だったことです。日本では霞ヶ関でエリート官僚がそれをやっていましたが、ドイツではボンでエリート官僚がそれをやっていて、市民たちの意見をあまり聞かなかったのです。

そのようななかで学生運動が起きて、1970年代にはそれが平和運動や反核運動へとつながり、「緑の党」が浮かび上がってきたのです［本書47頁参照］。緑の党はいくつかの新しいアイディアをドイツの政治に持ってきました。緑の党は初めて党として男女平等を唱え、委員の数を男女同数にしてフィフティ・フィフティ［半々］でやろうとしました。これが成果を上げて、今では他の党も似たようなやり方を、あるいは少なくとも女性議員の数を増やす立場を取っています。

私は「原子力廃棄物処分現場選定のための国家諮問委員会」の委員長のひとりですが、ここも1カ月ごとに、男性委員長の次は女性委員長の私という形で交代でやっています。

1970年代の平和・反核運動は、一方は労働組合によって支えられていました。これがドイツ社会に多くの変化をもたらしました。以来ドイツ人は、生活の質の問題や社会の平等について、それまで以上に考え始めるようになったのです。その一方、大学の教員や学生の活動も活発で、さまざまな市民運動や労働組合が手をつなぎ、何事も政府任せではなく、自分たちでどういう将来が望ましいのかを考え始めました。いわゆる草の根の民主主義的制度をみんなで作り上げていこうという思いが強くありました。日本でも70年代にはいろいろな市民運動があったわけですが、それほど強くなりませんでした。この差はどこにあるのか私は分からないのですが、日本の市民もいつかそのようにもっと強くなってほしいと思っています。

議員D　なって欲しいですよね。もちろん、私たち議員も一市民としてそこに向けて進んでいきたいと思います。

ミランダ　皆さんがこういう原発ゼロ法案を出すことはすごいと思います。頑張ってください。

立憲民主党議員（司会）　ミランダさんは最後に、市民と一緒に作るボトムアップ型の政策決定が最も大切だという意味のことをおっしゃいました。これはまさに私たち立憲民主党が目指していることで、今回の原発ゼロ基本法案もタウンミーティング［本書133頁参照］をベースに出来上がったものです。これからもしっかりこのやり方を続けていって、日本が脱原発、自然エネルギー社会になるようにがんばっていきたいと思います。*

＊原発ゼロ基本法案は２０１８年３月９日に衆議院に提出され、同年６月８日に衆議院経済産業委員会（衆議院、参議院それぞれに置かれる常任委員会）に付託された。しかし多方面からの審議要求を受け続けながら、その後も与党の反対で一度も審議されていない。委員会は全会一致で継続審査としているが、原発ゼロを否定する党という与党に対するイメージが強まるのを警戒し、与党は廃案を避けつつ審議しない状態を続けていると推測されている。

終章
日本の進むべき道筋――ミランダさんを囲んでのトークセッション（東京）

日時：２０１８年２月27日（火）19：50〜21：00
場所：聖心女子大学ブリット記念ホール
主催／共催：第１章と同じ

トークセッション「日本の進むべき道筋」（写真：奥留遥樹）

東京で行なわれたミランダさんの来日講演（本書第1章）後は、ドキュメンタリー映画監督の鎌仲ひとみさんをファシリテーターに、また国際環境NGO「FoE Japan」事務局長の満田夏花（かんな）さんをコメンテーターに迎えて、日本の現状と進むべき道筋を考えるトークセッションを開催しました。司会は日本イラク医療支援ネットワーク（JIM-NET）事務局長・副代表の佐藤真紀さんです。本書では最後にこの模様を報告し、原発ゼロ、100％自然エネルギー（＝再生可能エネルギー）社会に向けた私たちの課題を読者とともに探っていきたいと思います。

待ちに待った原発ゼロ法案提出

鎌仲　日本は原発を再稼働する方向に進んでいます。事故を起こした一方の当事者は国家であるにもかかわらず、また多くの市民が再稼働を憂いているにもかかわらず、なぜ政策が変わらないのか。このトークセッションではそういうことを解きほぐしていけたらいいなと思っています。

今日、国会議員会館［衆議院第二議員会館］で、ミランダさんが議員さんにお話をしてくださったとのことですが［本書第4章］、まず、その集まりをコーディネートされた満田さんに、どのような流れになったのかを含めてお話いただけますか。

満田　立憲民主党エネルギー調査会に参加した議員に、ミランダさんからお話をしていただき意見交換をしました。皆さんご存じのように、現在、立憲民主党が共産党、自由党、社民党とともに野党4党で原発ゼロ基本法案を3月10日に国会に提出しようとしています〔実際は1日早まり3月9日提出〕。これは私たちにとって待ちに待ったアクションです。

「原発の運転延長を認めない、新設を認めない、そして2030年までに再生可能エネルギーを40%にし、エネルギー需要を30%削減する。原発をなくしていくにあたっては、事業関係者とか立地自治体の住民の雇用・経済対策に国が適切な支援を行なっていく。法施行後5年以内の全原発の廃炉を行なう」という内容です。皆さんどうでしょうか〔会場：大きな拍手〕。私としてはすべての与野党の国会議員に賛成してほしいと願っています。そのために私たち市民が国会の外から盛り上げていく。そのことがすごく重要だと思っています。

見事なファシリテーターとして議論を進める鎌仲ひとみさん（写真：枝木美香）。
映像作家、ぶんぶんフィルムズ代表、JIM-NET理事、多摩美術大学非常勤講師。ドキュメンタリー映画「ヒバクシャ――世界の終わりに」「六ヶ所村ラプソディー」「ミツバチの羽音と地球の回転」「内部被ばくを生き抜く」「小さき声のカノン」等を監督。毎月8日に動画メールマガジン「カマレポ」を配信中。著書に『今こそ、エネルギーシフト』（共著、岩波書店、2011年5月）、『原発の、その先へ――ミツバチ革命が始まる』（集英社、2012年7月）など。

多方面での活動をもとに明解に応答する満田夏花さん（写真：枝木美香）。
国際環境NGO「FoE Japan」事務局長、原子力市民委員会座長代理、一橋大学非常勤講師。2011年を境に、原発事故被害者の権利や生活再建、脱原発をめぐる政策提言などに取り組む。著書に『福島と生きる――国際NGOと市民運動の新たな挑戦』（共著、新評論、2012年9月）、『「原発事故子ども・被災者支援法」と「避難の権利」』（共著、合同出版、2014年1月）、『非戦・対話・NGO――国境を超え、世代を受け継ぐ私たちの歩み』（共著、新評論、2017年12月）、『韓国――脱原発を求める人々の力』（FoE Japan、2018年2月）など。

ご存じのように2012年に、日本はエネルギーと環境の未来のため、原発に関する国民的議論を行ないました。このとき全国各地で大規模な意見聴取会や、討論型世論調査*と言われているものをやりました。それで最終的には当時の民主党政権が原発ゼロを目指す、という方針を打ち出すことになりました。しかしその後の選挙で政権交代が起こって今に至っているわけです。

*討論型世論調査とは、通常の世論調査を実施したあとに、同じ回答者に調査項目の資料や情報を提供し、十分な討論の場を提供したうえで、再度同じアンケートを行ない、意見の変化を見る方法。議題となる諸問題について、必要な情報を得たうえで意見交換し討論する場が形成されるので、参加者は問題について表面的な理解ではなく、より多面的な視点から考察し、意見を示すことができるようになる。

鎌仲　原発がなぜ今のようになっているのか、というひとつの要因は、やはり財界、経団連、そして日本の企業の多くが、原発の電気がなければ日本の経済は失墜していくとか、経済発展がダメになるとか、いまだに言っていて、経済というものと原発をがっちりと結びつけて考えているからです。そしてそういう立場に立つ自民党を支持する国民もたくさんいるので、政治的決断として、脱原発が遠のいているわけです。そこで、ドイツから見て、処方箋と言うか、ドイツがそこをどのように乗り越えたのか、ミランダさんにお聞きしたいと思います。

ドイツより日本の方が先に全原発を停止した！　だから日本にもできる！

ミランダ　私がまず言いたいのは、本当はドイツより日本の方が上を行っているということです。どういう意味かと言うと、実際に日本の方が先に全原発を停止させた、脱原発をやったということです［本書9頁参照］。日本では再稼働が始まって、今4基か5基が動いているわけですが、ドイツは7基だからです。* 日本は原発ゼロにできる可能性があり、原発がなくてもエネルギー供給は守れるのです。

＊日本の商業用原発の稼働数は２０２０年1月18日現在、関西電力大飯原発3、4号機（福井県）、九州電力川内原発1、2号機（鹿児島県）と玄海原発3、4号機（佐賀県）の計6基。再稼働していた高浜原発3、4号機は定期検査のために停止中。一方ドイツは２０１９年12月31日に1基減らしたことで２０２０年1月現在やはり6基、２０２２年の全廃に向けて着実に稼働原発を減らしている。

もうひとつ言いたいのは、日本では、風力とか太陽光はいつもあるとは限らないから原発がベースロード電源として必要だといった考え方をしていますが、その考え方はもう古くなっているということです。なぜかというと、自然エネルギーの割合が今のドイツのように30％を超えると、自ずと自然エネルギーがベースロード電源になっていくからです。風が吹いているか太陽光が差しているか、必ずどこかで自然エネルギーが生まれています。だから自然エネルギーがベースだと言えるのです。しかもそのベースが少しずつ少しずつ大きくなっていくのです。原子力は、すぐに点けたり止めたりはできません。化石資源について言うと石炭も同じですが、天然ガスの方は簡単に点けたり止めたりできます。ですから、自然エネルギーがベースになれば、その上に天然ガスを一時的に組み合わせて使うこともできます。そのように考え方を変えると、議論全体が変わり始めます。

もうひとつ、今では自然エネルギーのコストがとても安くなっているから、その面でも原子力を作ることはもはや意味がないのです。＊イギリスは今新しい原子炉を造るつもりでいますが、経済的には意味がありません。コストが高すぎるのです。だからドイツでは考え方全体が変わり始めています。ドイツでも以前は電力を安定させるために石炭や原子力をベースロード電源として位置づけていました。でも今や自然エネルギーの割合が一定水準に達し、それをもっと増やそうとしていますから、10年後には電気の50％が自然エネルギー由来になっているはずです。ドイツでそれができれば、一時は原子力ゼロで日本がドイツを上回っていたのですから、日本でもきっとできるはずです。

＊エネルギー問題の調査機関として実績のあるアメリカ企業系「ブルームバーグ・ニュー・エナジー・ファイナンス」（ＢＮＥＦ）が２０１４年９月までにまとめた報告によると、原子力の発電コストは世界的には1キロワット時当たり平均14セント（約15・7円）である。ただしこれには、原発事故対策費用などは含まれていない。
また、大島堅一龍谷大学教授（環境経済学）が行なった独自の試算によると、日本の原子力発電コストについては、建設費や事故リスク対応費が政府の２０１５年の試算より２～３倍増えた結果、17・６円（15・９セント）以上に膨らんでいる（東京新聞、２０１８年７月14日）。

一方、世界１５０カ国以上が加盟する国際再生可能エネルギー機関（ＩＲＥＮＡ）の２０１８年1月13日公表の「自然エネルギーの発電コスト２０１７年」によれば、２０１７年の加盟国全体における再生可能エネルギーの1キロワット時当たり平均発電コストは、太陽光で10セント（２０１０年比73％減）、陸上風力で6セント（同年比約25％減）、水力で5セント、バイオマスおよび地熱発電で7セントである。

ちなみに２０１７年のＧ20諸国における化石資源由来の1キロワット時当たり発電コストは5～17セントと推定されている。２０２０年までには、太陽光のコストはさらに50％減、陸上風力のコストもさらに20％弱の減少が見込まれている。両者の優良なケースでは、３セント以下の発電コストが主流となり、化石燃料を下回ると予測している。

鎌仲　日本ではそのような考え方がずっと否定され続けて、切り替わっていません。しかし実際、原発を再稼働させている九州電力管内では、去年［２０１７年］夏の自然エネルギーの発電量は50％を超えて、56％くらいだったのです。＊それでも原発が必要だと九州電力は言っているし、経産省も言っています。

＊九州電力管内では２０１８年7月時点で太陽光発電が８０３万キロワット（原発ほぼ8基分）接続済みとなっている。

川内原発1・2号機（鹿児島県）と玄海原発3・4号機（佐賀県）の再稼働によって、同年10月13日に電力は供給（発電）が需要（利用）を大幅に上回った。そのため九州電力は太陽光発電を送電線から切り離し、太陽光発電事業者は最大時43万キロワットの出力制御を、翌14日には最大時54万キロワットの出力制御を強いられた。原発4基は通常運転を続けた。これについて九州電力の担当者は、九州と本州をつなぐ送電線で192万キロワットを送り、余剰電力を生かそうとしたが、「それでも余ったので出力制御した」と説明した（東京新聞、2018年10月16日）。同月21日には、4回目の出力制御を行ない、最大時93万キロワット、原発1基分に近い発電量を止めた。

そこをどうやってブレイクスルー［突破］していくかは、ミランダさんが言われたように、これからは再生可能エネルギー、自然エネルギーを基本の電源として、実際に問題なくそれをどんどん進めていける、という確認に立つことがまず必要だったのですね。それはすでに世界の常識で、日本が常識になっていない、ということです。

ミランダ　私はいろんな国に行っているのですが、これから一気に自然エネルギーを増大させていく地域はアジアだと思っています。2016年に中国は1年で34ギガワット［1ギガワット＝100万キロワット］の自然エネルギーを導入しました［本書138〜139頁参照］。ドイツが10年、日本が何十年もかけて取り入れた自然エネルギーを中国は1年で達成しました。インドは2020年までにその2倍ぐらい導入したいと言うなど、極めて意欲的です。*アジアのあちこち、インドネシアも台湾もいろんな国が自然エネルギーに投資しています。だからとにかく値段が安い。これからも、もっと安くなります。

＊インドはすでに約17ギガワットの太陽光発電を導入。ナレンドラ・モディ首相は、太陽光発電による100ギガワットを含め、再生可能エネルギーの発電容量を2022年までに175ギガワットに増やすという極めて意欲的な目標を掲げた（『MIT Technology Review』2018年3月13日）。

日本の産業界にも変化の兆し

鎌仲　東芝があんなに左前になってきたのは、原発をずっとやろうとしてきたからなのです＊。満田さん、日本における電力供給のあり方や、電事連［電気事業連合会］とか電力業界の組織内で発言力を持つ人たちが、なぜ今ミランダさんがおっしゃったような考え方にシフトして行けないのでしょうか？

＊東芝はアメリカの原発事業で巨額の損失を出し、2017年、アメリカの子会社は経営破綻。参画していたテキサスでの建設計画からも2018年に正式に撤退。他の日本の原発メーカーも同様で、政権が成長戦略の一環として押し進めていた原発輸出計画はすべて破綻した。日立製作所が受注する方向だったリトアニアは、2012年の国民投票によって原発建設を否決し、凍結。ベトナムと日本政府が合意していた計画は、建設費の増大が重い負担となって2016年にベトナム側が撤退。トルコと日本政府が合意し、三菱重工業と共同で進めてきたトルコでの原発輸出も、予算高騰で2018年、トルコが断念。ただひとつ残っていた日立製作所によるイギリスでの新設計画も建設費高騰で2019年1月に凍結、日立は英子会社を清算。

満田　大きな利権構造はなかなか変わらないのだと思いますが、それでも、産業界のなかにはどんどん考え方を切り換えていく人たちもいます。例えば小泉元首相が顧問をしている原自連〔原発ゼロ・自然エネルギー推進連盟〕には、吉原毅さん〔城南信用金庫相談役〕など、経済界の人たちも参加しているし、確実に波は来ていると思います。だから変わらざるをえないような状況をどうやって作り出していくかが大事かと思います。

先日〔2018年〕2月11日、立憲民主党が福島県郡山市でタウンミーティング〔原発ゼロ基本法案の中身を市民と共に作り上げるためのもの。本書133頁参照〕を開いたときに、何人もの人たちが、エネルギーとは経済の問題ではない、倫理の問題だ、どうかやめてもらいたい、と言っていました。同じように2012年に福島でやった意見聴取会でも、エネルギーは足し算引き算の問題ではない、まず原発をやめて、それから今あるものを使っていこう、というような意見が相次ぎました。

ある経済畑の先生が、経済とは本来人々を幸せにするものなのだ、日本では経済という言葉は歪められてしまっている、という言い方をしていました。原発は経済的にすら、おそらくもう合理性がないことが明らかになっています。他の電源とコスト比較をしても高い。加えて、原発ゼロへの前提となるのは、福島の事故を経験した私たちの経験なのではないかと思っています。それを風化させず可視化することも重要だなと思うんです。

ドイツでは高速増殖炉が遊園地に

鎌仲　ドイツもかつては高速増殖炉を建設しました。核燃料サイクル計画を国家の政策として掲げて進め、放射性廃棄物の再処理路線を取っていました。再処理路線というのは使用済み核燃料が資源としてもう一度使える燃料だとするもので、それによって電力会社はこの廃棄物を資産として計上できるのです。だから原発を止めると決まれば、途端にその「お宝」は一夜にして負債となってしまうわけです［本書46頁参照］。日本はエネルギー政策を立てるうえで、すごく大きな足枷（あしかせ）がかけられていると思います。ミランダさんは日本がずっと持っている核燃料サイクルについてどう思われますか。

ミランダ　是非ひとつ見せたい写真があります。この写真の建物は、元はドイツの高速増殖炉でした。私が今日の講演会の最初の方で、カルカー高速増殖炉の建設に反対してデモをしていた1974年当時の人々の写真を見せましたが、結局造られてしまいました［1985年完成、試運転。本書46頁参照］。

しかしチェルノブイリの事故があって、その高速増殖炉を稼働する前に廃炉にしたのです［1991年］。ものすごく高いものを造って［80億マルク（約5000億円）かけて建設］、その後どうするか、という問題になりました。ここはまだ放射線が出されておらず、汚染されていなかった。結

来客年間60万人の遊園地「ワンダーランド・カルカー」。巨費で建設するも、反対運動で稼働することなく閉鎖した高速増殖炉を再生させたもの（photo：Koetjuh. 10 June 2008）

論は、その技術はもう使わずに、残った建物は遊園地にしようということにしました。こうして、オランダとの国境に近くに造られたこの高速増殖炉が遊園地〔ワンダーランド・カルカー遊園地。創業1995年〕とレストランになったのです。

その後そこに勤めている人に話を聞いたことがありました。かつてはこの原子炉施設で働いていたおじさんでした。この遊園地には今何人くらい勤めているのですか？「ホテル、レストランなどのアルバイトも含めると3000人くらいです」。原子炉だったとしたら何人くらいでしょう？「300人くらいです」。この遊園地には

1年に何人くらいのお客が来ていますか？「30万人くらいです」［現在約60万人］。どっちの方が地域や経済にとって良かったでしょうか？「そりゃぁ絶対遊園地だ！」

現在でも高速増殖炉をやろうとしている国はフランス［2020年以降凍結、本書46頁参照］、ロシアです。この技術は複雑でコストが高すぎるから、もうみんなやめる以外ないでしょう。

鎌仲　日本はやめない。ここが辛いところです。私が青森県六ヶ所村の核燃料再処理施設の問題をテーマにして「六ヶ所村ラプソディー」というドキュメンタリー映画［2006年公開］を作っていたときの話ですが、当時の原子力安全委員会のなかに倫理委員会というものがありまして、その委員会のある方にインタビューしたことがあります。その方に、なぜ日本は原発を止めることができないのか、と聞きました。すると彼が答えたのです。日本人は金を出せば何でも受け入れてくれるんです、お金だ、お金だよ、と。そのような人が、その5年後の3・11の事故当時には、原子力安全委員会の委員長を勤めていたわけです。ドイツの倫理委員会とは質がまったく違うのです。

日本の原発と政治をどう変えていくか

ミランダ　私が今回日本に来て知ったのは、どの会場でもたくさんの方々が集まり、夜遅くまで語り合ったという事実です。日進市［愛知県］でも700人くらいの大きな集会となりました。このこと自体に私は大きな意味を感じます。それはまず、こんなに大勢来ているのは、日本の方々がやっぱり何かを変えたいという思いを持っているからだということです。このような議論は日本において非常に大きなことで、来られている皆さんは、倫理的な考え方を持っていらっしゃるのだと思います。一方で、政治がそこまで行っていないのは、皆さんがもっと声を上げていかなくてはいけない、ということを意味しているのかもしれません。

鎌仲　あの福島の事故の直後は20万人が、40万人が、80万人が、国会あるいは全国いろんなところで集会やデモをしました。7年経った今でも、金曜日官邸前行動といって、毎週金曜日に、いろんな分野で直接的に政治決定のできる人たちがいるようなところで、集会やデモが続けられています。延べにすると物凄いことをやっている。けれども、政治決定に直接関わる人たちのところにはなかなか声が届かない。そこが断ち切られてしまっているというもどかしさを、私たちは7年間感じ続けています。やってもやっても変わらないのはなぜなんだ、というのはみんな思っていることだと思います。だから、何かやり方が違うのか、だとすればやり方を変えればよいのか、そこが分からないでいるのです。

ミランダ　皆さんは、政治を変えるのが簡単でないことは分かっていらっしゃると思います。長く続いた制度を変えるのは難しい。だからもっともっと頑張るしかないのです。自然エネルギーを買ってください、自然エネルギーに投資してください、節電してください、投票しに行きましょう、そのような呼びかけを隣近所の方々、身近な人々から直接やってみてください。

私はおととい福島市で高校生と話をしました。そのとき彼女は、私たち高校生にできることは何ですか、教えてほしいと言いました。逆に私は彼女に、安倍首相に手紙を出したことはありますか？ と質問しました。そして、自分が何か言いたいときは、まず言うべきだ、簡単ではないと思うけれど、民主主義とはそういうものだ、と話しました［本書第3章］。

鎌仲　満田さんは、立憲民主党やその他の野党が原発ゼロ法案を出してきたこのタイミングで、今私たちにできることは何であるとお考えでしょうか。

満田　ミランダさんは実に良いタイミングでここに来てくださったと思います。皆さんにふたつ提案があります。ひとつは各党の国会議員に対して、この原発ゼロ基本法案を、みんなで一緒に提出してくださいと呼びかける。個々の国会議員、それは自分が投票した国会議員だけでなく、そうでなかった国会議員にも、賛成してほしいという電話をかける、ＦＡＸを送るということです。

もうひとつの提案は、現在政府内でなされている重要な動きと関係があります。政府は今着々と、第5次「エネルギー基本計画」*に、原発をベースロード電源として固定化させるとか、原発の新規建設とかを書き込もうとしています。市民からの意見は聞かずに、審議会の閉ざされた議論で策定しようとしています。ただ私たちFoE Japanが事務局として参加しているeシフト〔脱原発・新しいエネルギー政策を実現する会〕が、これではダメじゃないか、市民からの意見を聞いてもらいたいと声を上げた結果、ささやかですが、資源エネルギー庁のホームページに「ご意見箱」というものができたのです。インターネットで「エネルギー基本計画ご意見箱」を検索すると出てくるので、皆さんも、是非そこに、原発なんてとんでもない、ゼロを目指せ、原発をベースロード電源にするなんて古い、などなど、今日のミランダさんのお話の内容でもいいし、皆さんの個々の意見を書いていただきたい。無視されても無視されても、こういう意見を出したということを身近な人に伝えるとか、そういうことを続けていくといいのではないかと思うのです。

＊2018年7月3日、4年ぶりに改定された第5次「エネルギー基本計画」は、「可能な限り原発依存度を低減」すること、そして再生可能エネルギーを「主力電源化」することを謳いながら、実際には原子力への依存を維持するものとなっている。この計画は2030年までの中期計画にとどまり、30年後、50年後、70年後を見据えた長期的視野が欠けているだけでなく、電源構成の見通しについては、原子力は震災前の25％を22～20％に減らすだけで（そのためには約30基の原発を稼働させなければならない）、風力や太陽光などの再生可能エネルギーは震災前の10％を22～24％に増やすとするにとどまっている。

ここで3・11後の**原発をめぐる司法判断**を見ておきます。まず2014年5月、福井地裁は関西電力に対し、大飯原発3、4号機（福井県）は大規模地震への対策が不十分であり、半径250キロ圏内の住民の「生命を守り生活を維持するという人格権の根幹を具体的に侵害する恐れがある」として運転の差し止めを命じました。この判決は福島第一原発事故の深い反省に立ち、国民を放射性物質の危険から守ることが**司法の果たすべき「重要な責務」**として出された画期的判決でした。また2015年5月、福井地裁は高浜3、4号機（福井県）を「新規制基準は緩やか過ぎ」で「適合しても危険」として差し止め、2016年3月には大津地裁も同原発に対し差し止めを命じました。さらに2017年3月、広島高裁でも、四国電力伊方原発3号機（愛媛県）に差し止め判決を出します。以上4つの裁判はいずれも上級審で敗訴となりましたが、これらはどれも不合理で説得力を欠く判決内容でした。

さて、2020年1月17日、再び広島高裁は、山口県内東部の島の住民3人が求めた伊方原発3号機（定期点検で停止中）の差し止め仮処分の即時抗告審で、運転を認めない判決を出しました。判決は原発が抱えるリスクを直視し、地震を引き起こす活断層と巨大火山噴火による影響の想定が不十分であることを指摘、四国電力が想定する対策を「問題なし」とした原子力規制委員会の判断も「不合理だ」としました。脱原発を求める無数の市民による、全国各地の原発立地自治体での粘り強い裁判闘争によって、司法が**「法と良心」**のもと、**本来担うべき「重要な責務」**を少しずつ果たすようになってきていると言えるでしょう。

電力自由化――自然エネルギー重視の電力会社を選ぶ

鎌仲　電力の［小売全面］自由化［2016年4月。本書174頁も参照］になって2年近くになりますが、東京電力の契約を打ち切ったという人の電力量は中部電力全体の電力量に相当しています。*実は東京電力は3・11のときよりも、こちらの方がショックかもしれません。すごく多くのお客さんが逃げて行っている状態なのですから。原発をベースロード電源にするという自民党の政策が確固として見えているので、日本原電［日本原子力発電（株）］が40年経った東海第二原発の20年延長を申請した際には［2017年11月申請、2018年11月許可］、東京電力が再稼働に向けて経営支援することさえ決めたのです。**

*2017年で1214億キロワット時。一般家庭向けの他電力への切り替え率（件数）は22・5％（2018年9月末時点）。

**これによって日本原電は、原子力規制委員会が東海第二原発の再稼働の条件としてきた資金調達に一定のめどを立てたことになる。原発事故処理で膨大な税金を投入している東京電力が他社の原発再稼働を支援するという異常な事態である。

私たちとしては電力自由化で東京電力にお金を払わなくても済むようになったのだから、今はもう新電力に替えればいいわけです。どこの電力会社がお薦めでしょうか？

満田　ＦｏＥ Ｊａｐａｎが事務局をやっているパワーシフトキャンペーン［電力小売自由化に伴って「自然エネルギーの電気をえらぼう！」とＮＧＯや市民団体などの運営で呼びかけるキャンペーン］がお勧めの電力会社の紹介をしています。そこには個々の電力会社の特徴、例えば情報公開をしているとか、原発を使っていないとか、大手電力ではないとか、そういういくつかの視点から、できるだけ再生可能エネルギーを使おうとしている新電力会社を選んでいます。市民が電力を選ぶことを通じて、先ほどミランダさんがおっしゃったような市民参加型の再生エネルギー会社を応援していくことは重要です。

社会全体のプロジェクトにしないと企業の将来も難しい

鎌仲　環境破壊をしている新電力*もあるので、そこはちょっと厳しい目で選んでいただくといいと思います。その一方で、こうした取り組みを押さえ込むような外部からの圧力もありえます。ミランダさんにお聞きします。ミランダさんたちの脱原発倫理委員会の報告を受けてドイツ政府が脱原発に政治的決断をしようとしたとき、足を引っ張るような動きはなかったのでしょうか。

＊新電力とは、全国に10社ある既存の大手電力会社と区別して、新しく電気事業を開始する〝企業〟のことを言う。大半の新電力は発電所を所有せずに、東京電力などの大手電力会社から供給を受けており、勧められない新電力のタイプとしては原子力がメインの新電力と、火力発電がメインの新電力がある。

ミランダ　もちろんありました。ドイツの巨大な電力会社も、脱原発を仕方のない流れと分かっていながら、できるだけ長く原子力を使おうと腐心していました。しかし先ほどのお話と同じように、お客さんが逃げて行ったのです。そしてこの流れに逆らい続けるなら、もっとお客さんが逃げていくことに電力会社は気づいていくわけです。

今私たちがドイツで見えているのは、大きなエネルギー会社が、内部からビジネスモデルを大きく変えようとしていることです。例えばエーオン［Ｅ・ＯＮ］というドイツ最大のエネルギー会社は、２０１４年にこれまでの原子力や化石燃料による発電事業を別会社として切り離して、本社を自然エネルギー関連事業に特化させました。エーオンは将来を見据えて大きく動き出したのです。他のエネルギー会社も同じような傾向を見せています。

大きな会社は大きいがゆえに変化するのが難しい。それを私たちは理解する必要があります。また、原子力に勤めていた方々は悪い人たちではありません。仕事が必要だったから、あるいは原子力はすごいと思っていたから、そこに勤めていたに過ぎません。

会社が考え方を変えなければ、いずれ会社自体の将来が大変になってくる。そうした認識が、これまで脱原発の足を引っ張ってきた会社にもようやく少しずつ広がってきて、今ではエネルギー転換に反対する声は企業側からもほとんど聞かれません。

聞こえてくるとすれば、エネルギー転換をやるかやらないかではなくて、どのくらいの速さでそれをやるか、ということです。ドイツではもう社会全体で、そうした取り組みが自分たちの国のプロジェクトとして見えているのです。ドイツではどうしてそれが見えているのか、どうして大きな会社もそれを理解しているのかというと、たぶん転換しないと会社自体の将来が難しくなってくるからです。

将来の技術も、原発とは違う方向に向かっています。ＩＴ、ロボット分野を見ても、将来のものは、よりエネルギー効率の高い技術を目指しています。ドイツではエネルギー転換の技術が将来の有望なビジネスと見られているのです。今の大きな会社は、負けないようにそこに投資をしています。

鎌仲　すごく大きな意識の転換が起きた。先端的な技術と思われてきた原子力が、もはや時代遅れのものになった、そういう認識がドイツの国民や企業の間で共有されたということですね。日本ではまだそういうふうになっていません。

満田　原発にこれ以上しがみつくことは、確実に国益、いや私は国益という言い方は好きではないので社会益と呼んでいますが、その社会益に反することになるわけです。原発にしがみつくことで、莫大な政策的資金が、私たちの税金も含めて使われることになるのですから。

鎌仲　国際競争力が落ちているというのは、そういう理由からではないでしょうか。

満田　だから投資すべき分野が間違っているのです。死にそうな原発を無理やり延命させるために、すごく「頭のいい」経産省の人たちが変な仕組みを作って、例えば廃炉費用を電気料金から取れる仕組み*などを作って、そういうことばかりやっています。あるいは先ほどお話に出たように、東京電力は東海第二原発に融資保証をするとか言っています。東京電力には今も公的資金が注ぎ込まれています。回りまわれば私たちの負担になってしまうのです。だからそういうことを考えると、原発は終わっている、将来性がないことは自明の理という気がしています。そこを上手に示して見せていく努力が私たちには必要だと思います。

＊経済産業省（経産省）は、２０１６年4月から開始された電力の小売り全面自由化に伴い、原発からの電気を使わない新電力と契約した人にも、送電線の使用料である「託送料金」に原発の事故処理・廃炉費用を上乗せした。その理由を同省は「本来は電力会社が原発事業を始めた時点［１９６０年代］から、事故に備えて一般負担金として積み立てておくべきだった［費用］」と説明している（東京新聞、２０１６年11月3日）。まったく説得力を欠いた事後的説明と言える。

鎌仲　将来性もないし、終わっているけれども、それでも利権構造というものはある。その利権が亡霊のように生き延びて原発にしがみついている。その利権がやはり周りを毒しているのではないでしょうか。だから政策としても、非常に非合理的な選択を企業に選ばせている。ドイツには利権構造というものはないのでしょうか。

若者たちに楽しく賑やかな未来像を

ミランダ　ドイツは何でもうまくやっている、ということは言いたくありません。ドイツにも問題はあります。脱原発はスケジュール通りに進んではいます。しかし脱石炭はあまりうまくいってはいません。社会のなかでブレーキをかけている利益団体もあります。さまざまな考え方があるという意味では、それは不思議ではないと思います。だから、自然エネルギーへの転換は自然エネルギーだけでできるとも思われていません。

ドイツで私は10年間このようなエネルギーの話をしてきたのですが、やはり、シンプルに話をし過ぎたと思っています。エネルギー転換というのは太陽光パネル、風力、地熱の話だけではありません。それらの自然エネルギーをどうやって使うか、何に使うか、スマートシティ［本書120頁参照］との関係はどこに見出せるか、など、やはり全体を見なければうまくいきません。

日本も脱原発の議論の幅を広げていかないと、これからは難しくなってくると思います。どうしてかというと、若い方々が自分の将来を考えるときには、やはり何か希望の持てる仕事が欲しい、それを実現できる場が欲しい、となります。それはどこで得られるか。そのような未来イメージを私たちが提供していかないと、エネルギー転換の将来も難しい。だから脱原発の将来ではなくて、エネルギー転換の将来、エネルギー効率の高い技術の将来、新しい運輸制度や新しい省エネ建築などの将来でなければいけないのです。

私は大学で講義をしていますが、若い学生に、あなたたち、いろんな問題がありますね、地球温暖化問題、酸性雨問題、海にプラスチックごみがあり過ぎて……などなど、といった話ばかりでは暗くなります。私は学生たちに言います。あなたたちには実際チャンスがあります。いろんな危機があるから、あなたたちは私たちよりも、はるかにいい社会、いい経済制度を作るチャンスがあると。そうするとやっぱり学生たちも面白く楽しくなってきます。

じゃあどういう町を創ればいいか、どういう技術を発展させたらいいか、もっときれいに何かを創るにはどうやればいいか。機会を作って、自然エネルギーを実際に体験しに行くのもそのひとつのやり方ですが、それだけじゃなくて自分の生活全体のこととしてやると、もっともっと楽しくなってくるのです。ドイツでエネルギー転換を進める場合、脱石炭は簡単ではなく、たしかに辛(つら)いところですが、楽しい面もたくさんあります。ドイツでは家単位で、もうかなりの蓄電ができるようになりつつあります。これは数年前には考えられなかったようなやり方です。各家庭のエネルギーがプラスの「プラスハウス」〔消費する以上のエネルギーを生産する構造体〕になって、自分が使っているエネルギーよりも作っているエネルギーの方が多い家ができているんです。

このような点から見ると、日本の方がドイツよりいろんなノウハウがあります。日本の風土が培ってきた木造建築のノウハウ〔通気性、耐久性重視〕はほとんどの国にはないものです。耐震技術の素晴らしい建築を行なっている国ももちろんほかにはありません。あるいはロボット技術もたいへん優れています。それらを使ってスマートシティを創ることができます。

鎌仲　今すごく大きなヒントをいただいたと思います。たしかに立憲民主党が原発ゼロ法案あるいはマニフェストを決定的に打ち出したことはとても大事な一歩です。そしてその一歩の先、もっと元気になれる人を増やすにはどうすればいいか、ということですね。各政党の方々が、これはただ原発を止めるのではないんだ、新しいエネルギーの技術をもっといっぱい開発して雇用を増やし、若い人たちがどんどんそこで職を得て、楽しく仕事ができるようにしたいんだ、というようなメッセージを加えたなら、ただただ原発を止めるというやり方よりも受け入れられやすい気がします。

満田　「原発ゼロ」という法案の名前もたぶんそういう路線を指していて、そう思わせるようなエネルギー転換的なことも書いてありますからね。

鎌仲　エネルギーの自立を目指す取り組みはすでにいろいろな地域で行なわれていて、再生可能エネルギーで雇用を増やしたりとか、それによって地域の再生を図ろうとか、そういったことを楽しく賑やかに広げようとしている人たちの取り組みについては、実はあんまり知られていないかもしれません。しかし、そうした取り組みが実際にはすごく増えています。こうした流れをしっかりと捉えて、今ミランダさんがおっしゃったような、ただ原発と闘うだけではない、ポジティブで建設的で、みんなが参加したいなーと思えるような、例えば若い人たちが就職活動に疲れていても、こんな会社なら行きたいなーと思わせるような将来像、未来像を立憲民主党が描くことができれば、打倒自民党も夢ではないかもしれませんね。

満田 立憲民主党だけではなく、いろいろな党がおそらく同じ方向にいくだろうと思います。

原発導入のときは超党派、原発ゼロも超党派で

鎌仲 もともと原発を導入したときは超党派で、共産党から自民党まで全部合意して日本に導入したわけですから、原発推進にとどめをさすのも、皆でやっていけたらいいかなと思うんです。

満田 実は、昨年［2017年］韓国に行って、すごく強い印象を受けました。文在寅（ムン・ジェイン）大統領が昨年の5月に脱原発宣言をしました。その宣言のスピーチがとても感動的で、「福島原発事故を経験した私たちは、新しい未来への扉を開けて踏み出そう」と、今ミランダさんが言われたようなことを

彼も言っているんです。みんなが希望を持てるような新しいエネルギー社会を、みんなで作っていこう、大統領によるそういうスピーチによって韓国は意思決定を行なったのです。

ただ韓国も課題山積で、現実には日本の方がよっぽど脱原発しているのではないかと思います。韓国は原発の発電量が［総発電量の］30％なのです。お隣の国のそういった状況を見ると日本が見えてきます。ドイツを見ると日本が見えてくるように、です。また、韓国を見ると、やはりある意味、日本が励まされます。そしてその韓国でもまた一歩踏み出す。いろいろ紆余曲折（うよきょくせつ）はあるのですが、韓国でもとにかく各地でみんなが頑張っています。それを『韓国――脱原発を求める人々の力』［ＦｏＥ Ｊａｐａｎ、２０１８年２月］という本にまとめました。

鎌仲　先ほどは立憲民主党を応援するようなことを言いましたが、どんな政党、政治家であれ、未来を私たちのために開いて、一刻も早く、時代遅れのエネルギーから未来のためのエネルギーへとシフトできるよう力を注いでほしいと思います。

佐藤（司会、ＪＩＭ－ＮＥＴ）　まもなく震災から7年が経ちます。福島に寄り添って、私たちがどのようにこの問題を考えていかなければならないのか。私たちＪＩＭ－ＮＥＴ［日本イラク医療支援ネットワーク］はイラクで医療支援を続けてきて、そのかたわら、劣化ウラン弾の反対運動をずっとやってきたのですが、そこで実際被害に遭って癌になった子どもたちを見ると、見捨てることができません。そこにどう寄り添っていくか。

イラク戦争はこの3月20日で勃発から15年が経つわけですが、ほとんど忘れ去られています。政府は国益のためにアメリカのイラク攻撃を支持したということです。その後の政府の検証結果も、アメリカを支持したことによって国益になったという、ただそれだけしか残っていません。そこには倫理も何もないわけです。

今回の原発事故でもまったく同じことが言えて、国益、国益という言葉ばかりで、実際、再稼働を目指し、まだ世界に原発を輸出していこうという動きを止めていません〔本書161頁参照〕。今福島で子どもたちに甲状腺がんが増えているという事実*があってもなお、政府は原発事故とは関係ないと言って原発路線を続けています。家のなかで本当に悔しい思いをしている福島の人たちと、どう寄り添って未来を考えていくか、そういうことがすごく大事だと思います。是非、今日ここに集まった皆さんとともに、これからも福島のことを忘れず、新しい未来をどう創っていくか考えていきたいと思っています。

*福島県県民健康調査では、事故当時18歳以下の子どもたち（対象者約40万人）の甲状腺検査を行なっており、同調査の検討委員会の2018年12月までの発表データを総合すると、甲状腺がんまたはその疑いの人が206人、手術後確定の人が164人となっている。国立がんセンターの推計によれば、2010年時点の福島県での18歳以下の甲状腺がん有病者数（自覚症状等がなくまだ発見されていない潜在的なものも含めて実際に病気を持っている数）は、2・0人と

されている（福島県県民健康調査検討委員会資料）。

閉会にあたって……池住義憲（本実行委員会代表・元立教大学大学院特任教授）

今日の参加者は３００名を超えました。ミランダさんは明日ドイツに帰国されます。また機会があったら、引き続きこのような場、いろいろな方々と話し合い、考える場を作っていきたいと思っています。

１週間にわたる今回の来日講演会、トークセッションなどを通して、ミランダさんは市民の意思表示が何より大切だということを強調されました。先ほどの鎌仲さん、満田さんのお話とも相通じるものがあると思います。電気をどう使うか、どういうシステムにするか、市民にはそれを選ぶ権利がある、ということを強調されていました。

生命倫理と言えば皆さんはお分かりと思いますが、ミランダさんはエネルギー倫理というふうに言います。つまり、原発の問題を倫理の問題として捉える終始一貫した生き方、姿勢というものを私たちに示されました。まさに経済だけ、科学技術だけの問題ではなく、それよりも人類の生存、存続の問題だ、生活全般に関わる問題なのだ、そういう視点から脱原発とエネルギー転換をキーワードにお話くださいました。1週間という限られた時間でしたが、私たち主催者、共催者も愛知、福島、東京を巡って、多くの方々と語り合え、考えることができました。ミランダさんと参加者の皆さまに深く感謝したいと思います。

ミランダさんの1週間の講演と交流を締め括る本実行委員会代表の池住義憲さん（写真：奥留遥樹）。
1944年東京都生まれ。東京基督教青年会（YMCA）、アジア保健研修所（AHI、愛知県）、国際民衆保健協議会（IPHC、本部ニカラグア）など計36年にわたってNGO活動に従事。自衛隊イラク派兵差止訴訟（2004年2月～2008年4月）では原告代表として、名古屋高裁で違憲判決を勝ち取る。元立教大学大学院キリスト教学研究科特任教授。TPP交渉差止・違憲訴訟の会代表。著書に『学び・未来・NGO』『平和・人権・NGO』（いずれも共編著、新評論、2001年4月／2004年3月）、訳書にD・ワーナー＋D・サンダース『いのち・開発・NGO』（共監訳、新評論、1998年11月）ほか。

全日程を終え、ミランダさんを囲んで（写真：清水香子）

おわりに――市民が拓く希望への道筋

3・11の1年後、2012年3月11日、福島県郡山市の開成山球場で行なわれた「原発いらない！ 3・11福島県民大集会」に参加したときのこと、球場を埋め尽くした参加者に向かって被害者の男性が訴えた次の言葉が今も鮮明に残っています。

「『がんばろう 日本！』ではなく、『変わろう 日本！』『変えよう 日本！』じゃないですか！」

あの大地震と津波、それに誘発された福島の原発事故の大惨事は、言うまでもなく、私を含めて、日本の社会と日本人を変える、変えなければならない歴史的大事件でした。

私は特に3・11以降、「現場に立つこと」「事実を知ること」「事実を伝えること」を大事にしてさまざまな活動を行なってきました。この3つのことを大事にすれば、私たちはそれによって感じ考え、理にかなった判断をし、未来を創っていくことができると信じているからです。

現場が大事であることは何ごとにも言えることですが、東日本大震災に関係しては、2011年8月に1週間ほど岩手県の気仙沼市にボランティアに行きました。福島の原発事故に関連しては、前記「原発いらない！　3・11福島県民大集会」のほか、2013年8月と2014年7月には福島市で行なわれた「福島を忘れない！　全国シンポジウム」に参加し、立ち入り禁止区域にも入りました。また、2013年8月には、山口県の上関原発建設予定地から3・5キロメートルしか離れていない祝島（いわいしま）で行なわれた、原発事故被害者のための「福島から祝島へ――子ども保養プロジェクト」（代表：那須圭子［フォトジャーナリスト］）に6日間ボランティアとして参加しました。祝島の住民の多くは原発を拒み、10億8000万円という巨額の漁業補償金の受け取りを今も拒否し続けています。そして現在も毎週月曜日に「原発反対島内デモ」を行なっています。このデモは原発計画が浮上した1982年の秋に始まって以来ずっと続けられ、計画が白紙撤回されるまで続けようと結束しているとのことです。実際、2019年10月31日、山口県が中国電力に上関原発の新設に向けた海での作業を許可し、中国電力が11月から作業を開始しようとしたときには、「原発につながるボーリング調査は当然認められないと、島民や漁師はいつもどおり船を出して漁をしつつ、中国電力が現れると調査をしないよう連日訴え続け」ました。その結果、12月17日、「中国電力は来年1月30日まで予定していた今回の海上ボーリング調査を、一時中断すると発表しました」（「上関原発を建てさせない祝島島民の会」ブログ）。とはいえ、調査を断念したわけではなく、今に至っての原発新設計画再開とは本当に驚くべきことです。

次に、原発立地自治体において行なわれた原発再稼働反対集会・反対行動への初参加は、201

3年12月、全原発停止後、最初に再稼働が予測されていた愛媛県の伊方原発に対する集会「NO NUKES えひめ」でした。同じく再稼働が心配されていた鹿児島県の川内原発に対しては、2014年9月の「ストップ川内原発再稼働　9・28全国集会」と、翌2015年8月9日、10日の「川内原発再稼働阻止！　ゲート前大行動」に参加しました。川内原発は同年8月11日、2年近くの原発ゼロの期間を破って初めて再稼働が強行された原発となったわけですが、後者の集会はその直前に行なわれたものです。この川内原発再稼働に対しては、ドイツのテレビ、ラジオなどが当事国の日本とは比べものにならないほど詳細な報道と厳しい論評を数多く行なっています（ドイツ在住の日本人市民のサイト「みどりの1kWh［キロワット時］」参照）。さらに2017年8月には「原発いらない茨城アクション～東海第二原発20年運転延長を許すな！　人間の鎖」の集会にも参加しました。

一方、司法の場では福島原発告訴（告訴人1万4586人、2012年6月告訴。2019年9月19日敗訴、同年9月30日東京高裁に控訴）の告訴人のひとりとなっています。また原発メーカー訴訟（原告4128人、2014年1月提訴。2019年1月23日最高裁上告棄却）でも原告のひとりとなっていました。東電株主代表訴訟（原告42人、2012年3月東京地裁提訴。2020年1月現在、52回の口頭弁論）では、株主ではありませんが、支援者のひとりとなっています。なお、原発メーカー訴訟の上告棄却を受け、その原告が中心になって現在（2020年1月20日現在）、NNR国家賠償請求訴訟（NNR：NO NUKES RIGHTS［原子力の恐怖から免れて生きる権利］）を起こす準備をしています。この訴訟は、原発メーカー訴訟において、原発メーカーのいかなる賠償責任も免責する原子力損害賠償法は憲法違反と指摘したことに対し、最高裁が一切の法的判断をせず「棄却」したのはとうてい納得できるものではないとして、国家賠償を求め、改めて司法の法的判断を引き出すことを目的とするものです。

ながながと履歴のようなものを記させていただいたのは、私にとっては本書もこれらの「現場」の延長線上にあるからです。

ミランダさんの講演、トークセッション、市民との交流、そして直接の対話は、私にとってはすべて刺激的な「現場」になりました。この「おわりに」では、この「現場」を通じて特に印象に残った話を改めていくつか拾い上げてみたいと思います。

まずは、「日本はドイツより早く脱原発を実践し、それが可能であることを世界に示した」という発言（本書157頁）です。原発事故後、日本は2013年9月16日から2015年8月10日までの2年近く、すべての原発を停止しました。その間、電力不足は起こりませんでした。日本政府や電力業界、産業界、そしてすべての市民はこの事実を認識すべきだ、こうミランダさんは言います。日本におけるこの「脱原発」が石炭・石油資源に頼りながらという側面を持ち、その後「再稼働」へと逆行したことも当然承知した上での発言でしたから、これは一種の日本市民へのエールと言えるでしょう。「日本の人たちはとても技術に強い、だからドイツと一緒に脱原発を決めたらすごいと思っているのです」（本書１０９頁）とも語っています。

日本とドイツの別れ道はどこにあったのでしょう。ミランダさんの発言にあったように、日本でも（西）ドイツでも１９６０年代から70年代初めにかけて、国や社会のあり方への異議申し立て、抗議行動、反対運動が市民や学生の間で広汎に沸き起こりました。しかしその動きは、日本では高度経済成長の流れに急速に飲み込まれていきました。一方ドイツでは、同じ流れにありながらも、抗議行動や反対運動で政治を変えることができないなら、自分たち市民が議会のなかに入って、そこから政治を変えようという別の流れを生み出しました。この流れが80年代に入り、「反戦・平和、動物愛護、男女同権など、さまざまな主張を持つ市民が集まって」、環境保護と反原発という共通の課題に取り組む「緑の党」を誕生させたのです（本書47～48頁、１５０頁）。

（西）ドイツの市民は議会のなかに入り、議会によって状況を変えようとしましたが、もちろん直接行動を諦めたわけではありません。元西ドイツ首相ヴィリー・ブラント（１９１３～92）らが歴史的教訓として唱えた「闘う民主主義」という言葉があります。これは、議会制民主主義は常に形骸化する恐れを持つ、それゆえ真の民主主義を勝ち取るには市民一人ひとりが絶えず闘っていかなければならないという、ナチス・ドイツを経験した人々による切実な警句でした。この言葉が象徴するように、ドイツの市民は今もプロテスト（抗議行動、反対運動）の大事さを実践的に示し続けています。

ミランダさんの話のなかにも、プロテストという言葉が繰り返し出てきます。ミランダさんはドイツが脱原発に舵を切るまでの、そして現在に至るまでの動きについて、市民による抗議行動、反対運動の力がいかに大きな影響を与えてきたかを具体的に紹介してくれました。

ミランダさんが繰り返し強調していたもうひとつの言葉がデモクラシー、民主主義です。「ドイツから見えてくるのは、エネルギーヴェンデ［エネルギー転換］というのはエネルギーデモクラシー［民主主義］だということで、そのことは非常に大切だと思います」（本書137～138頁）。「脱原発には、政界、産業界と市民の共同作業が必要。政府や企業の立場からだけでは、脱原発を倫理的に問う議論は出てこない。意思決定プロセスへの市民参加を実現させることが必要だ。脱原発は民主主義のあり方とも結びついている」（2018年2月22日、来日直後の朝日新聞の取材に答えて。23日掲載）。脱原発、エネルギーヴェンデは民主主義と不可分である。ミランダさんが語るこの民主主義は、もちろんヴィリー・ブラントらが唱えた「闘う民主主義」の流れにあるものです。

実はこうした考え方は、日本の戦後民主主義思想をリードした丸山真男（1914～96）の次の言葉が示すように、戦後の日本にも確かにありました。

〈自由も権利も現実に行使することによってのみ守られる。日本国憲法第十二条で「この憲法が国民に保証する自由及び権利は、国民の不断の努力によってこれを保持しなければならない」としているのは、まさにこのためである。民主主義という制度も同様である。民主主義は、それが現実に本当に機能しているのか、それを絶えず監視し、批判するという不断の民主化によってかろうじて民主主義でありうるのだ〉（『日本の思想』１９６１年11月、要約、傍点は引用者）。

これも、理念的には「闘う民主主義」と言えるものでしょう。では、先ほどの問いに戻ると、脱原発をめぐる日本とドイツの別れ道はどこにあったのでしょう。「闘う民主主義」という理念を一人ひとりの市民がいかに自分のものにしてきたか、それを実現するために一人ひとりの市民がいかに行動してきたか、そこの違いが別れ道だったのではないでしょうか。

しかし、ミランダさんは日本に対して決して悲観的ではありません。やれることはたくさんあると言います。具体的に私たちにどのようなことができるのか。ミランダさんは福島の高校生にこう語りかけています。「今世のなかを見ると、民主主義が危ないんですよ。あなたたちの時代は大変なことが始まっている。民主主義を助けてあげないといけない、自分たちの未来を強くするためにも」。「皆が自分の考えていることを言う（のが民主主義）」。「いろんな意見があるから、それをちゃんと発言しないと、民主主義が消えてしまう」（本書１１９頁）。

そして高校生に次のような発想を披露してくれました。「自分の地域の政治家に手紙を出したことありますか？　自分だけでなくて高校のみんなが政治家に手紙を書いて送る。安倍首相に手紙を書いたことありますか。書いたらどうでしょうか。そしてその手紙を新聞社やジャーナリストに送ったらどうですか。あるいはインターネットに投稿し、サインしてくれる人たちを集めて、次の世代に私たちはどういう未来を望んでいるのか、欲しているのか、それを政治家に教えるとインパクトあると思いますよ」（本書116頁）。

また一般参加者の方々にはこう語りかけました。「政治がそこ〔脱原発〕まで行っていないのは、皆さんがもっと声を上げていかなくてはいけない、ということを意味しているのかもしれません」。「皆さんは、政治を変えるのが簡単でないことは分かっていらっしゃると思います。長く続いた制度を変えるのは難しい。だからもっともっと頑張るしかないのです。自然エネルギーを買ってください、自然エネルギーに投資してください、節電してください、投票しに行きましょう、そのような呼びかけを隣近所の方々、身近な人々から直接やってみてください」（本書166～167頁）。

一方でミランダさんは、自分が取り組んでいる学術研究や政策提言活動から得た教訓をこう語ってくれました（巻頭収録「日本の読者の皆さんへ」より）。「こうした巨大で憂鬱な問題〔原子力関連事故、核廃棄物管理、気候変動、天然資源の枯渇など〕に対処するときでさえ、前向きであり続けること、つまり明日の状況を改善するために、そしてものごとをより良く変革するために、私たちがどのように過去から教訓を得て、今自分たちにできる何かを常に考え続けること、それがいかに大切であるかを学びました」（本書7頁）。

ここでミランダさんが私たちに最も伝えたかったのは、原子力の脅威と闘う（「闘う民主主義」）ことはもちろん大事だが、未来を指向するポジティブな取り組みも、それと同じくらい大事だということです。

ドイツの巨大電力会社は、できるだけ長く原子力を使おうとしてきた点では、今の日本と同じでした。しかしドイツの場合は、それゆえに賢い消費者がそうした会社から離れていき、それが大きなエネルギー会社にもうひとつの道を開かせたのだとミランダさんは言います。もちろん、そこには企業の論理、つまりエネルギー転換をしなければいずれは会社自体の将来が大変になってくる、だから内部からビジネスモデルを大きく変えよう、という論理も働いていたわけです。今となっては、エネルギー転換に反対する声は企業の間からもほとんど聞かれず、むしろどのくらいの速さでそれを進めるかが課題になっている。今やエネルギー転換は自分たちの国のプロジェクトとして社会全体が承知していて、その技術は将来の有望なビジネスになると見られているので、企業の側も方向転換が望ましいと捉えている、ということでした（本書172～173頁）。

こうしたドイツの動きは、未来を担う若者たちとどう向き合っていくか、という問いにもつながっていきます。ミランダさんは次のような反省の弁を述べます。「私が最近ドイツでいつも言うことがあります。私のひとつの間違いは、自然エネルギーの話だけしていたということです。エネルギー転換にすごく興味を持っている若い人にアピールするには、それだけでは不十分であることに気づきました」（本書90頁）。そして「エネルギーヴェンデにはそれよりももっと面白いことがあるのです。それは、エネルギーヴェンデが新しい社会やライフスタイルづくりに直接つながっていることです」（本書145頁）と述べたうえで、「若い方々が自分の将来を考えるときには、やはり何か希望の持てる仕事が欲しい、それを実現できる場が欲しい、となります。［…］だから脱原発の将来ではなくて、エネルギー転換の将来、エネルギー効率の高い技術の将来、新しい運輸制度や新しい省エネ建築などの将来でなければいけない」（本書175〜176頁）と語ります。今ではドイツの学生たちに、「あなたたちには実際チャンスがあります。いろんな危機があるから、あなたたちは私たちよりも、はるかにいい社会、いい経済制度を作るチャンスがある」と伝えているそうです。すると「やっぱり学生たちも面白く楽しくなって」きて、「じゃあどういう町を創ればいいか、どういう技術を発展させたらいいか、もっときれいに何かを創るにはどうやればいいか」と考えるようになり、「［それを］自分の生活全体のこととしてやると、もっともっと楽しくなってくる」とミランダさんは自分自身の経験を語りながら希望への道筋を示してくれました（本書176頁）。

プロテストは楽しく賑やかなものでなければ続かない。ミランダさんが最も伝えたかったのは、このようなポジティブなメッセージだったと思われます。

「原子力　明るい未来のエネルギー」という標語は、福島原発のある双葉町の中心部に大きな看板として掲げられていたもので、３・11以後に有名になりました。この看板をミランダさんは次のように書き換えてくれたように思います。

「脱原子力　明るい未来のエネルギー！」

もちろん脱原子力、再生可能エネルギーへの転換においては、「政府や企業の立場からだけでは倫理的に問う議論は出てこない」という現状を踏まえたうえで、「意思決定プロセスへの市民参加の実現」や「政界・産業界と市民との共同作業の必要性」といったさまざまな課題をクリアしていかなければなりません。

「前向きであり続け、目の前の状況を一つひとつ改善し、明日に向かってより良く変革していく」ために、読者の皆さんには、ミランダさんが伝えてくれたメッセージからひとつでも多くのヒントを摑み取っていただければ幸いです。

本書を世に出すことができたのは、まず、ベルリンで直接ミランダさんの話を伺う企画を立ててくださった市民活動家、元立教大学大学院特任教授の池住義憲さんのおかげです。その後も、民主主義獲得の歴史を学ぶイギリス訪問や、軍隊を捨てた「平和と民主主義の先進国」コスタリカ訪問などを通して、池住さんの先見の明ある烔眼と言動には実に多くのことを学ばせていただきました。

離日前、羽田空港での編者との詰めの打ち合わせと資料の確認（2019年６月３日）

本書を書き終えるまでには、さまざまな確認作業などもあり、思っていた以上に時間がかかりました。ここまでたどり着けたのは、編集を担当してくださった新評論編集長の山田洋さんからの「ドイツ、そしてドイツの先進事例を積み上げてこられた重要人物のひとり、ミランダさんからのわれわれ日本へのメッセージは、われわれ市民が正面から受け止め、多くの人々と共有しなければならない課題です。それを読者に伝えることは、私たちに与えられた責任であり、使命でもあると考えています」という言葉のおかげです。

ミランダさんご本人の全面的な協力があったことも銘記しなければなりません。日本語の全原稿に目を通され、点検・修正・補足作業を行なってくれただけでなく、本文中の使用写真についても、手を尽くして一枚一枚著作権の確認をし、使えないものは新たに探していただきました。冒頭には13ページもの心のこもった、そして私たちへの心強いエールとなっている「日本の読者の皆さんへ」もいただきました。

「ミランダさん講演会実行委員会」のメンバーとして本書収録のさまざまな企画に携わられたＦｏＥ Ｊａｐａｎ 事務局長の満田夏花さんには、本書の意義についての精緻な一文、「本書刊行に寄せて」も寄せていただきました。同じく同実行委員会のメンバーでＪＩＭ－ＮＥＴ事務局長・副代表の佐藤真紀さんは、福島・郡山での実り多い企画をコーディネートし、東京・郡山では司会進行を担当してくださいました。アースウォーカーズ代表理事の小玉直也さんは、佐藤さんとともに福島での高校生との集いをコーディネートし、司会進行を務めてくださいました。映像作家の鎌仲ひとみさんは、見事なファシリテーターとして密度の濃いトークセッションを進めてくださいました。本書収録の日本でのイベント模様を記録した貴重な写真は、アジア保健研修所の清水香子さん、アーユス仏教国際協力ネットワークの枝木美香さん、パルシステムの奥留遥樹さんが提供くださったたくさんのデジタルデータのなかから使わせていただきました。共催の開発教育協会（ＤＥＡＲ）の事務局長の中村絵乃さんとスタッフの方々には要約筆記を提供していただきました。また、本書に登場する発言者の方々には、収録原稿への細かな点検作業にご協力いただきました。同実行委員会メンバーとして、全般にわたっての会計や細々とした仕事は溝口真理さん、吉田美佐子さん、宇井志緒利さん、秋田真千代さんが引き受けてくださいました。これらすべての方々および主催、共催、協力団体の皆さまにこの場を借りて厚くお礼申し上げます。私をかげで支えてくれた家族にも感謝の気持ちを伝えたいと思います。

２０２０年１月20日

折原利男（編著者）

編著者紹介

折原利男（おりはら　としお）

1950年埼玉県生まれ。東北大学工学部、早稲田大学第一文学部卒業。元埼玉県立高校教諭（国語）。現在、看護専門学校講師。文芸同人誌『AMAZON』（創刊1962年）に小説、評論、ドキュメンタリーなどを執筆する一方、同誌編集委員。筆名：森沢周行。小説「瓦礫のなかから」が第７回神戸エルマール文学賞、次点、佳作賞（2013年）。著書に『現場からの教育再生――言葉で拓く学びの豊かさ、可能性』（2011年３月、すずさわ書店）、『軍隊を捨て 平和と民主主義を選んだ国――中米コスタリカの人々を訪ねて』（共著、2019年５月、「コスタリカの旅」報告集制作チーム）など。

ゲスト紹介

ミランダ・シュラーズ（Miranda A. Schreurs）

1963年アメリカ・ニューヨーク州生まれ。コーネル大学で生命科学を学び、ワシントン大学、ミシガン大学で教養学士号と比較政治学修士号取得。ベルリン自由大学教授（2007～15年）を経て2016年からミュンヘン工科大学教授。専門は公共政策、環境、気候変動。ドイツを脱原発に導いた「脱原発倫理委員会」（通称）委員。2008年から16年までドイツ政府の「環境問題専門家委員会」（SRU）委員。茨城県立水戸第一高校に留学して来日して以来、日本滞在は通算５年。この間、慶応義塾大学、中央大学、立教大学の客員教授を歴任。ドイツの脱原発を経験的に語れる研究者・教育者・市民活動家として、現在も世界的に精力的な活動を行なっている。著書に『地球環境問題の比較政治学』（2007年11月）、『ドイツは脱原発を選んだ』（2011年９月）、『女性が政治を変えるとき』（五十嵐暁郎との共著、2012年７月、以上、岩波書店）、『*FUKUSHIMA:A Political Economic Analysis of a Nuclear Disaster*』（吉田文和との共著、北海道大学出版会、2013年３月）、『ドイツ脱原発倫理委員会報告』（安全なエネルギー供給に関する倫理委員会著、吉田文和との共編訳、大月書店、2013年７月）など。

脱原子力 明るい未来のエネルギー

――脱原発倫理委員会メンバー
――ミランダ・シュラーズさんと考える「日本の進むべき道筋」　（検印廃止）

2020年３月11日　初版第１刷発行

編著者　折原利男
発行者　武市一幸

発行所　株式会社 新評論

〒169-0051 東京都新宿区西早稲田3-16-28
http://www.shinhyoron.co.jp

TEL 03（3202）7391
FAX 03（3202）5832
振替 00160-1-113487

定価はカバーに表示してあります
落丁・乱丁本はお取り替えします

装幀　山田英春
印刷　フォレスト
製本　中永製本

ISBN978-4-7948-1146-2
Printed in Japan